Senso

La narratrice — la comtesse Livia — se souvient. Elle a trente-neuf ans. « Je tremble en écrivant ce nombre horrible ! » Elle se souvient, avec un cynisme stupéfiant de vérité, de l'amour fou qu'elle éprouva autrefois pour le lieutenant Remigio. « Fort, beau, pervers, vil, il me plut. » Nous sommes au XIXe siècle. Avec les bijoux et l'argent de la comtesse, Remigio soudoie quatre médecins et se fait exempter de service alors que sa patrie — l'Italie — entre en guerre contre l'Autriche. Il peut mener joyeuse vie sans déjà plus s'occuper de sa maîtresse. Elle le dénonce comme déserteur en pressentant, en voulant ce désastre : l'exécution par les armes de son amant. Depuis, l'abjection semble coller à la peau de la narratrice. Il lui arrive de s'en réjouir, notamment lorsqu'elle entend ses amants d'aujourd'hui l'appeler : « mon ange ».

Camillo Boito (1836-1914) fut de son vivant un novateur important dans la restauration des monuments historiques, préconisant notamment le respect de leur authenticité première. Ses principes ne seront pleinement validés qu'en 1937, lors de la conférence d'Athènes. Mais c'est un film remarquable de Luchino Visconti, Senso, *tourné en 1953, qui allait donner indirectement une nouvelle notoriété à Camillo Boito en rappelant qu'en 1883 cet architecte restaurateur — frère d'Arrego Boito, librettiste notoire à son époque, collaborateur de Verdi — se laissa saisir par le démon de l'écriture, qu'il fut l'auteur de plusieurs* petites histoires, *dont ce « joyau romanesque » — selon l'expression d'Hubert Nyssen — que constitue le* Carnet secret de la comtesse Livia, *autrement dit :* Senso.

Camillo Boito

Senso

Carnet secret de la comtesse Livia

TRADUIT DE L'ITALIEN
PAR JACQUES PARSI

Postface de Christiane Baroche

Actes Sud
HUBERT NYSSEN, ÉDITEUR

EN COUVERTURE

Alida Valli et Farley Granger dans le film de Visconti *Senso* (1953).
Photo Edimédia ; collection Kharbine.

ISBN 2-02-008686-7
(ISBN 1re publication française : 2-903098-54-9)

Hier, dans mon salon jaune, pendant que le petit avocat Gino, de la voix rauque d'une passion longuement réprimée, me susurrait à l'oreille : " Comtesse, ayez pitié de moi. Chassez-moi, donnez l'ordre à vos serviteurs de ne plus me laisser entrer, mais, pour l'amour de Dieu, ôtez-moi ce doute mortel, dites-moi si je puis espérer ou non " ; pendant que le pauvre jeune homme se jetait à mes pieds, moi, droite, impassible, je me regardais dans le miroir. J'examinais mon visage pour y trouver une ride. Mon front sur lequel jouent de petites boucles est lisse et gracieux comme celui d'une enfant ; sur les ailes larges de mes narines, au-dessus de mes lèvres un peu épaisses et rouges, on ne voit pas le moindre pli. Je n'ai jamais trouvé aucun fil blanc dans mes longs cheveux qui, lorsqu'ils sont défaits, tombent en belles vagues brillantes, noires comme l’encre, sur mes épaules blanches.

Trente-neuf ans !... Je tremble en écrivant ce nombre horrible ! De mes doigts fins, j’ai donné une légère tape sur la main chaude du jeune avocat, laquelle s’avançait vers moi en hésitant, et je fis mine de partir ; mais, poussée par je ne sais quel sentiment (certes, un sentiment louable de compassion et d’amitié), me retournant sur le pas de la porte, je crois que je murmurai ce mot : “ Espérez. ” J’ai besoin de mortifier la vanité. Avec cette inquiétude qui s’empare de mon âme et laisse mon corps presque intact alterne la présomption de ma beauté. Pour cela, je n’ai point besoin d’autre assurance que mon miroir.

Je trouverai à cela, j’espère, une autre confirmation en écrivant ce qui m’est arrivé voici seize ans, et à quoi je repense avec une âcre volupté. Ce carnet, enfermé par trois clefs dans mon écritoire secrète, aucun œil humain ne pourra le voir, et, à peine achevé, je le jetterai au feu, puis j’en disperserai les cendres ; mais la confession écrite de ces vieux souvenirs doit servir à en tempérer l’âpreté et la ténacité. Chaque action, chaque parole et, surtout chaque honte, dans cette triste période de mon passé, sont gravées dans ma mémoire. J'y reviens sans cesse et je recherche les traces vives de la plaie qui ne s'est jamais refermée. Je ne sais point au juste si ce que j'éprouve est, dans le fond, douleur ou frisson.

Oh, quelle joie de ne se confier qu'à soi, libre de tout scrupule, hypocrisie ou réticence, respectant dans le souvenir la vérité, même en ce que les stupides affectations sociales rendent plus difficile à avouer, ses propres bassesses ! J'ai fait quelques lectures au sujet des saints anachorètes, qui vivaient au milieu des vers et de la putréfaction (certainement, des saletés) mais croyaient s'élever d'autant plus haut qu'ils se vautraient dans la fange. De la même façon, mon Esprit s'élève en s'humiliant. Je suis orgueilleuse de me sentir tout à fait différente des autres femmes ; il y a dans ma faiblesse une force pleine d'audace ; je suis comme les Romaines de l'Antiquité, comme celles qui tournaient le pouce vers la terre, ou que chante Parini dans une ode... Je ne me souviens pas bien, mais je sais qu'en la lisant il m'a semblé vraiment que le poète parlait de moi.

Si ce n'était, d'un côté, la fièvre des souvenirs

vivaces et, de l'autre, l'épouvante de la vieillesse, je devrais être une femme heureuse. Mon mari, vieux et impotent, me témoigne une confiance aveugle, me laisse dépenser autant que je le veux et faire ce qu'il me plaît. Je suis une des premières dames de Trente. Les soupirants ne manquent pas et la jalousie de mes bonnes amies, au lieu de s'apaiser, se ravive chaque fois plus.

J'avais vingt ans et, bien sûr, j'étais plus belle. Non que les traits de mon visage soient changés, ou que mon corps paraisse moins svelte et moins flexible, mais dans mes yeux il y avait une flamme qui, hélas, maintenant s'éteint peu à peu. Le noir même de mes pupilles me semble, à bien le regarder, un peu moins intense. On dit que la plus haute philosophie consiste à se connaître soi-même ; moi, je m'étudie avec tant d'ardeur depuis tant d'années, heure après heure, minute après minute, que je crois me connaître à fond et pouvoir me proclamer une philosophe parfaite.

Je dirais que j'ai atteint le zénith de ma beauté (il y a dans l'épanouissement de la femme une brève période de suprême éclat) lorsque j'eus à peine passé ma vingt-deuxième année, à Venise. C'était en juillet 1865. Mariée depuis peu de jours, j'étais en voyage de noces. Pour mon mari, qui aurait aussi bien pu être mon grand-père, je ressentais une indifférence mêlée de pitié et de mépris : il portait ses soixante-deux ans et un énorme ventre avec une apparente énergie. Il enduisait ses rares cheveux et ses moustaches épaisses d'un onguent nauséabond qui laissait sur les oreillers de larges taches jaunâtres. Brave homme, du reste, à sa façon plein d'attentions pour sa jeune épouse, bon vivant, jurant à l'occasion, fumeur invétéré, aristocrate orgueilleux, violent envers les timides et peureux en face des violents, conteur alerte de petites histoires lubriques qu'il répétait à tout propos, ni avare ni gaspilleur. Il se pavanait en me prenant à son bras, mais il regardait les petites femmes faciles, qui se promenaient près de nous sur la place Saint-Marc, avec un sourire d'intelligence lascive. Moi, d'un côté, cela me plaisait puisque je l'aurais volontiers chassé dans les bras de n'importe laquelle pourvu que j'en fusse délivrée et, d'un autre côté, j'en ressentais du dépit.

Je l'avais pris spontanément, je l'avais même

voulu. Les miens étaient opposés à un mariage si mal assorti. Et, il faut bien dire la vérité, le pauvre homme ne brûlait pas de demander ma main. Mais, moi, j'en avais assez de ma qualité de demoiselle : je voulais des voitures à moi, des brillants, des robes de velours, un titre et, par-dessus tout, ma liberté. Il en a fallu des yeux doux pour enflammer le cœur du comte dans sa grande poitrine, mais une fois enflammé il ne connut plus la paix qu'il ne m'eût en sa possession ; il ne regarda point à ma petite dot et ne pensa guère à l'avenir. Moi, devant le prêtre, je répondis par un *oui* ferme et sonore. J'étais contente de ce que j'avais fait, et aujourd'hui, après tant d'années, je ne m'en suis pas encore repentie. Au fond, il ne me semblait pas devoir m'en repentir, même en ces jours durant lesquels, le cœur ouvert presque d'un coup, je me plongeais dans le paroxysme d'une première passion aveugle.

Jusqu'à vingt-deux ans passés, mon cœur était resté fermé. Mes amies, faibles devant les flatteries de l'amour sentimental, m'enviaient et me respectaient : dans ma froideur, dans ma dédaigneuse insouciance des paroles tendres et des regards langoureux, elles voyaient la toute-puissance de la raison et de la force. A seize ans, j'avais déjà établi ma réputation, en jouant avec l'attachement que me portait un beau jeune homme de la région et en le délaissant par la suite, au point que le malheureux tenta de se suicider, et, guéri, s'enfuit de Trente pour le Piémont, s'engagea comme volontaire et, lors d'une des batailles de 1859, je ne sais plus laquelle, mourut. J'étais trop jeune alors pour en éprouver du remords ; par ailleurs, mes parents et amis, chérissant tous le gouvernement autrichien qu'ils servaient fidèlement comme militaires ou fonctionnaires, n'avaient rien trouvé d'autre comme oraison funèbre pour le pauvre exalté que : “ C'est bien fait pour lui. ”

Je renaissais à Venise. Ma beauté était dans tout son éclat. Un éclair de désir brillait dans les yeux des hommes lorsqu'ils me regardaient ; je sentais sur moi la flamme des regards dérobés même sans les voir. Jusqu'aux femmes qui me dévisageaient, puis de la tête aux pieds me détaillaient avec admiration. Je souriais comme une reine, comme une déesse. Je devenais, dans le contentement de ma vanité, bonne, indulgente, familière, insouciante, spirituelle : la grandeur de mon triomphe me faisait presque paraître modeste.

Mon mari, qui avait été l'un des représentants de la noblesse tyrolienne à la diète d'Innsbruck, fut invité avec moi aux repas et aux réunions du lieutenant impérial. Lorsque j'entrais dans le salon, les bras nus, la gorge et la naissance des seins découvertes, dans une robe de voile et de dentelle à longue traîne, une grande fleur de rubis à feuilles d'émeraude dans les cheveux, j'entendais un frémissement courir autour de moi. Une rougeur de plaisir colorait mon visage ; je faisais quelques pas lents, solennels et simples, sans regarder personne ; et, pendant que la maîtresse de maison venait à ma rencontre et m'invitait à m'asseoir à côté d'elle, j'agitais mon éventail devant mon visage, comme pour me cacher pudiquement aux regards des gens stupéfaits.

Je ne manquais jamais les fêtes sur le Grand Canal et les sérénades place Saint-Marc, au café Quadri ; j'avais autour de moi une nuée de satellites : j'étais le soleil d'un nouveau système planétaire. Je riais, je plaisantais, je raillais qui voulait me prendre par des soupirs ou par des vers, je me montrais une forteresse inattaquable, mais, pour ne décourager personne, je ne m'appliquais pas trop non plus à paraître réellement inattaquable. Ma cour se composait en grande partie de petits officiers et de fonctionnaires tyroliens, plutôt fades et très hautains, à tel point que les plus agréables étaient les plus étourdis, ceux qui n'avaient dans leur vie dissolue acquis rien d'autre que l'audace pétulante de leurs propres folies. Parmi eux, j'en connus un qui sortait de l'ordinaire pour deux raisons. A une dissolution effrénée, il unissait, autant que ses amis eux-mêmes l'affirmaient, une immoralité de principe, cynique au point que rien ne lui semblait respectable en ce monde, sinon le Code pénal et le règlement de l'armée. Outre cela, il était vraiment très beau et extraordinairement vigoureux : un composé d'Adonis et d'Alcide. Blanc et rose, les cheveux blonds frisés, le menton sans barbe, les oreilles si petites qu'on eût dit celles d'une jeune fille, les yeux bleu clair, grands et inquiets : dans tout le visage une expression par moments douce et par moments violente, mais d'une violence et d'une douceur mêlées des signes d'une ironie continuelle, presque cruelle. La tête superbement plantée sur un cou robuste ;

les épaules n'étaient ni carrées ni massives, mais tombaient avec grâce. Le corps musclé, serré dans son uniforme blanc d'officier autrichien, se laissait deviner tout entier et faisait songer aux statues romaines des gladiateurs.

Ce lieutenant de ligne, qui avait seulement vingt-quatre ans, deux de plus que moi, était arrivé à dévorer le riche subside paternel, et il continuait toujours à jouer, à payer des femmes, à vivre en grand seigneur ; personne désormais ne savait plus comment il vivait, mais personne ne le surpassait à la natation, à la gymnastique et pour la force de ses bras. Il n'avait jamais eu l'occasion de se trouver à la guerre ; il n'aimait pas les duels. Deux officiers m'avaient même raconté un soir que, plutôt que de se battre, il avait avalé plus d'une fois les insultes les plus atroces. Fort, beau, pervers, vil, il me plut. Je ne le lui laissai point comprendre, car il me plaisait d'irriter et de tourmenter cet hercule.

Venise, que je n'avais jamais vue et que j'avais tellement désiré voir, parlait plus à mes sens qu'à mon esprit : ses monuments, dont je ne connaissais point l'histoire et ne comprenais point la beauté, m'importaient moins que l'eau verte, le ciel étoilé, la lune argentée, les vents dorés et, surtout, la gondole noire dans laquelle, allongée, je me laissais aller aux caprices les plus voluptueux de l'imagination. Pendant les lourdes chaleurs de juillet, après une journée de feu, le petit vent frais me caressait le front alors que j'allais en barque de la Piazzetta à l'île Sant'Elena ou, plus loin, vers Santa Elisabetta et San Nicolo del Lido : ce zéphyr, imprégné de l'âcre odeur du sel, réveillant mes membres et mes esprits, semblait murmurer à mon oreille les ardents mystères de l'amour vrai. J'abandonnais dans l'eau, jusqu'au coude, mon bras nu, baignant la dentelle qui ornait la manche courte; et je regardais ensuite tomber une à une, du bout de mes ongles, les gouttelettes semblables à des brillants très purs. Un soir, j'ôtai de mes doigts un anneau, don de mon mari, où resplendissait un gros diamant, et je le jetai dans la lagune, loin de la barque : je crus avoir épousé la mer. La femme du lieutenant me conduisit un jour à la galerie de l'Académie des beaux-arts : je n'y compris à peu près rien. Plus tard, les voyages, la conversation des peintres (l'un d'eux, beau comme Raphaël Sanzio, voulait à tout prix m'initier à la peinture) m'ont appris quelque chose ; mais à l'époque, bien que je fusse ignorante, cette allégresse des couleurs, cette sonorité des rouges, des jaunes, des verts, des bleus et des blancs, cette musique peinte avec une telle ardeur d'amour sensuel me semblèrent non point de l'art, mais un aspect de la nature vénitienne ; et les chansons que j'avais entendu chanter sans pudeur par des gens du peuple me revinrent en mémoire devant *l'Assomption* dorée du Titien, *la Cène* pompeuse de Paolo et les corps charnus, charnels et brillants de Bonifacio. Mon mari fumait, ronflait, disait du mal du Piémont, achetait des cosmétiques : moi, j'avais besoin d'aimer.

Voici maintenant de quelle manière a commencé ma terrible passion pour l'Alcide, l'Adonis en uniforme blanc, dont le nom, Remigio, ne me revenait pas. J'avais pour habitude d'aller tous les matins au bain flottant de Rima, entre le petit jardin du Palais-Royal et l'extrémité de la douane. J'avais pris pour une heure, entre sept et huit heures, une " sirène ", c'est-à-dire une des deux vasques réservées aux dames et suffisamment grandes pour y nager un peu, et ma camériste venait pour me déshabiller et me rhabiller. Comme personne d'autre ne pouvait entrer, je ne prenais pas le soin de passer mon costume de bain. La vasque, entourée de parois de bois, couverte d'une toile gris cendré à larges bandes rouges, avait un fond de planches placées à telle profondeur que les dames de petite taille n'avaient que la tête hors de l'eau. Moi, j'avais toutes les épaules découvertes.

Oh, la belle eau émeraude, mais limpide, où je voyais ondoyer mes formes jusqu'aux pieds que j'avais gracieux ! Parfois, un poisson tout petit et argenté me frôlait. Je nageais autant que la longueur de la sirène me le permettait ; je battais l'eau des mains jusqu'à ce que l'écume blanche recouvrît le vert diaphane ; je m'allongeais sur le dos, laissant baigner mes longs cheveux et tentant de rester ainsi un moment immobile ; j'aspergeais la caméristé qui prenait la fuite ; je riais comme une enfant. Des ouvertures nombreuses et larges, au-dessous du niveau de l'eau, laissaient entrer et passer librement l'eau. Les parois, mal jointes, si on y appliquait l'œil, permettaient à travers les fissures de voir quelque chose du dehors : le campanile rouge de San Giorgio, une ligne de lagune où fuyaient les barques légères, un petit morceau du Bain militaire qui flottait à peu de distance de ma sirène.

Je savais que tous les matins, à sept heures, le lieutenant Remigio allait y nager. Dans l'eau, c'était un héros : il sautait du plus haut, tête la première, repêchait une bouteille au fond, sortait de l'enceinte en passant par-dessous les cabines. J'aurais donné je ne sais quoi pour réussir à le voir, tant j'étais attirée par son agilité et par sa force.

Un matin, pendant que je regardais sur ma cuisse droite une petite tache pâle, sans doute une légère contusion qui gâtait un peu la blancheur rosée de ma peau, j'entendis à l'extérieur un bruit, comme quelqu'un qui aurait nagé rapidement. L'eau s'agita, un frisson dû à la fraîche ondulation parcourut tous mes membres, et par l'un des larges trous, entre le sol et les parois, un homme entra soudainement dans la sirène. Je ne criai point, je n'eus point peur. Il me sembla de marbre tant il était blanc et beau, mais une respiration profonde agitait son large thorax, ses yeux bleus brillaient, et de ses cheveux blonds tombaient des gouttes comme une pluie de perles brillantes. Debout, à demi voilé par l'eau encore frissonnante, il leva ses bras musclés et blancs ; on aurait dit qu'il remerciait les dieux et disait : " Enfin ! "

C'est ainsi que commença notre liaison. A partir de ce moment, je le vis tous les jours, soit à la promenade, soit au café, soit au restaurant où mon mari qui s'était pris d'affection pour lui l'invitait souvent. Je le voyais aussi en secret ; nos colloques mystérieux devinrent même très rapidement quotidiens. Souvent, nous restions ensemble une ou deux heures seule à seul, entre le déjeuner et le dîner, pendant que le comte dormait, ou bien on allait faire un tour en ville ; nous passions ensuite deux ou trois heures en public, nous serrant parfois les mains à la dérobée. Parfois, il pressait en cachette son pied contre le mien, et bien souvent il me faisait si mal que mon visage devenait tout rouge ; mais cette douleur-là me plaisait. Je n'avais jamais paru plus belle aux gens et à moi-même, jamais plus saine, plus joyeuse et contente de moi, de la vie, de tout et de tous. La chaise de paille sur laquelle je me prélassais place Saint-Marc devenait un trône ; je croyais que l'orchestre militaire qui interprétait les valses de Strauss et les mélodies de Meyerbeer devant les anciennes procuraties ne jouait que pour moi. Et il me semblait que le ciel bleu et les vieux monuments participaient à mon ravissement.

Le lieu de nos rencontres n'était pas toujours le même. Parfois Remigio, dans une gondole fermée, m'attendait au bord sale d'une longue ruelle sombre qui donnait sur un canal étroit flanqué de masures si bossues et si délabrées qu'elles semblaient près de s'effondrer, et aux fenêtres desquelles pendaient de vieux linges de toutes les couleurs ; parfois, abandonnant toute prudence, nous entrions en barque dans quelque endroit fréquenté de la ville, poussant jusqu'au môle en face de la Piazzetta. Le visage couvert d'un épais voile noir, j'allais chez lui, dans une maison près de la caserne du Saint-Sépulcre, croisant dans l'ombre dense des escaliers tortueux des soldats et des officiers qui ne me laissaient point passer sans me donner quelque marque de leur galanterie. Dans cette maison où le soleil n'entrait jamais, l'humidité et le renfermé s'unissaient à l'odeur nauséabonde de la fumée de tabac, stagnant dans ces chambres privées d'air.

Ce petit avocat Gino me fatigue. Il me regarde avec des yeux exorbités qui souvent me font rire, mais parfois me glacent. Il dit qu'il ne peut vivre sans la charité d'un mot d'affection. Il implore, il pleure, il sanglote, il ne cesse de répéter : " Comtesse, vous souvenez-vous de ce jour où, là, sur le pas de la porte, en vous retournant, vous m'avez dit avec une voix angélique : Espérez ? " et il insiste. Il invoque de nouveau ma pitié, au milieu des sanglots et des pleurs. Je n'en puis plus. Il y a quelques jours, je lui ai abandonné ma main : il l'a baisée plusieurs fois et avec une telle violence qu'il m'en resta pour quelque temps des marques blanches sur la peau. Enfin, j'en ai assez. Hier, perdant toute patience, je lui criai de me laisser en paix, de ne plus jamais tenter de remettre les pieds dans ma maison, et que s'il avait l'audace de reparaître encore devant moi je le ferais chasser par les domestiques et raconterais tout au comte. Le petit avocat devint si pâle que ses yeux noirs semblèrent deux trous sur un visage de craie. Il se leva du canapé, titubant, et sortit sans me regarder. Il reviendra, il reviendra, je le parierais. Mais il est bien vrai que, pour émouvoir mon esprit, il n'y a rien d'autre que le souvenir d'un homme dont, à la honte de ma passion furibonde, je voyais toute l'infâme bassesse.

Remigio, de temps en temps, me demandait de l'argent. Au début, il y mettait des formes : c'était une dette de jeu, c'était un repas qu'il devait offrir à ses compagnons pour je ne sais quelle occasion ; il devait me rendre la somme quelques jours après. Il en vint par la suite à demander sans aucun prétexte une fois cent florins, une autre deux cents ; une fois même, il me demanda mille lires. Moi, je donnais, et cela me faisait plaisir de donner. Je possédais des économies, et d'ailleurs mon mari avait des largesses pour moi, il était même content que je lui demande quelque chose. Mais vint un moment où il lui sembla que je dépensais trop. Je m'offensai, me fâchai avec emportement ; lui, bonhomme d'habitude et conciliant, tint bon toute une journée.

Ce jour-là, précisément, Remigio avait un besoin urgent, immédiat, de deux cent cinquante florins : il me caressait et me disait tant de belles choses avec une voix si vibrante d'amour que je me sentis tout heureuse de pouvoir lui donner une grosse épingle ornée de brillants qui coûtait, si je me souviens bien, quarante napoléons d'or.

Le jour suivant, Remigio ne vint pas au

rendez-vous. Après avoir arpenté en tous sens certaines ruelles au-delà du pont de Rialto pendant une bonne heure, au point que les gens me regardaient avec curiosité et malice et que j'entendais fuser autour de moi quelques plaisanteries, les joues enflammées par la honte et les yeux pleins de larmes de colère, désespérant de rencontrer désormais mon amant, imaginant Dieu sait quel accident, je courus chez lui, haletante, perdant presque la raison. Son ordonnance, qui était en train d'astiquer les sabres, me dit n'avoir plus vu le lieutenant depuis la veille.

— Toute la nuit dehors ? demandai-je, sans avoir bien compris.

Le soldat en sifflant fit un signe de tête affirmatif.

— Pour l'amour de Dieu, courez, allez vous informer à son sujet. Il lui sera arrivé quelque malheur : blessé, peut-être tué !

Le soldat haussa les épaules en ricanant.

— Mais répondez donc ! Où est votre maître ?

J'avais saisi le soldat par le bras, pendant qu'il continuait de rire, et je le secouai avec force.

Il approcha sa moustache de mon visage ; je me reculai vivement mais répétai :

— Je vous en prie, répondez !

Il grogna finalement :

— Souper avec la Gigia, ou la Cate ou la Nana, ou avec toutes les trois à la fois, vous parlez d'un malheur !

Je compris alors que le lieutenant Remigio était toute ma vie. Mon sang se glaça, et je tombai presque sans connaissance sur le lit dans la chambre sombre. S'il n'était apparu à ce moment-là, dans l'encadrement de la porte, mon cœur dans un paroxysme de soupçons et de rage aurait éclaté. J'étais jalouse à en devenir folle. J'aurais même pu devenir jalouse à en tuer.

J'aimais dans cet homme jusqu'à son abjection. Quand il s'exclamait : “ Je te le jure, Livia, je n'aimerai et je n'embrasserai jamais d'autre femme que toi ”, je le croyais ; et, alors qu'il était devant moi à genoux, je le regardais pleine d'adoration, comme s'il eût été un dieu. S'il m'avait demandé : “ Veux-tu que Remigio devienne Leonidas ? ” j'aurais répondu : “ Non. ” Qu'avais-je à faire d'un héros ? Mieux, même, la vertu parfaite m'aurait semblé fade et méprisable en comparaison de ses vices ;

son manque de sincérité, d'honnêteté, de délicatesse et de retenue me semblait le signe d'une vigueur cachée mais puissante, à laquelle j'étais heureuse, orgueilleuse, de plier comme une esclave. Plus son cœur se montrait bas, plus son corps rayonnait de beauté. Deux fois seulement, et pour un seul instant, je l'aurais voulu différent. Nous nous promenions un jour, le long des fortifications qui protègent l'enceinte de l'Arsenal. La matinée était joyeuse, le soleil étincelant. Sur la gauche pointaient dans l'air bleuté les hautes cheminées à auvent renversé, les corniches blanches et les toits rouges, alors que sur la droite courait la longue muraille close et sévère des Chantiers. Les yeux éblouis se reposaient dans certains coins d'ombre profonde, là où s'enfonçaient les bases d'un portique, où s'étranglait une ruelle. L'eau brillait de toutes les nuances du vert, reflétait toutes les couleurs, et se perdait ici ou là dans des trous et des zones d'un noir dense. Dix ou douze gamins, hurlant à gorge déployée, couraient et sautaient sur les fortifications qui, du côté du canal, n'avaient pas de garde-fou. Il y en avait de tout petits et d'un peu plus grands. L'un des petits, presque nu, grassouillet, avec des bouclettes blondes qui couronnaient son visage rose et joufflu, faisait un bruit d'enfer, donnant des tapes, harcelant ses compagnons et disparaissant ensuite comme un éclair.

Je m'arrêtai pour regarder pendant que Remigio me contait ses gloires passées. Tout d'un coup ce petit diable d'enfant, ne pouvant dans sa course précipitée se retenir au bord des fortifications, vola dans le canal. On entendit un hurlement, un bruit sourd, et l'air s'emplit aussitôt des cris de tous les garçons et de toutes les femmes qui auparavant bavardaient dans la rue ou regardaient aux fenêtres. Mais au milieu de cette clameur dominait le cri aigu, désespéré et strident de la jeune mère qui s'était élancée aux pieds de Remigio, seul homme présent, et hurlait : " Sauvez-le-moi. Je vous en supplie, sauvez-le-moi ! " Remigio, froid, glacé, répondit à la femme : " Je ne sais pas nager. " Pendant ce temps, un des grands gamins s'était jeté à l'eau, avait attrapé par les boucles blondes le petit, et l'avait tiré vers le bord. En un instant les cris se changèrent en applaudissements frénétiques ; les femmes et les enfants pleuraient de joie. Les gens accouraient de tous côtés pour voir, et le petit gamin blond regardait autour de lui avec ses grands yeux bleus, étonné de tant d'agitation. Remigio dans un mouvement violent m'arracha à la foule.

L'autre fois où mon amant me déplut un peu, ce fut pour la raison que voici. On l'avait entendu, au café Quadri, bavarder en allemand et à voix haute avec des fonctionnaires tyroliens et dire du mal des Vénitiens. Un monsieur qui était dans un coin se leva d'un bond et, se plantant devant lui qui portait l'uniforme, cria : “ Quel lâche, ce militaire ! ” — et il lui jeta en plein visage trois ou quatre de ses cartes de visite. Il en résulta un duel. Le jour suivant, les témoins devaient combiner la rencontre, mais Remigio, ayant remarqué que son adversaire était petit, malingre et léger, refusa le pistolet, refusa l'épée et, bien que le choix des armes revînt à l'insulté, voulut à tout prix le sabre, confiant qu'il était dans la force de ses bras. Le Vénitien fut obligé de s'incliner ; mais avant le duel il était déjà en prison, et Remigio reçut l'ordre de rejoindre immédiatement un nouveau poste en Croatie.

Lorsque je sus la chose, je me désespérai : sans cet homme, je ne pouvais vivre. Je fis tant auprès de la femme du lieutenant, et mon mari, poussé par moi, œuvra si bien auprès du gouverneur et des généraux que Remigio obtint d'être envoyé à Trente où le comte et moi devions retourner précisément à cette époque. Tout jusqu'alors avait été favorable à ma folle passion.

Voilà trois mois que je n'ai plus ouvert ce carnet. Je ne me suis pas risquée à l'emporter en voyage, et cela me coûtait, je le confesse, d'avoir dû le laisser à Trente.

Au souvenir de ces années, mon cœur se remet à palpiter et je sens autour de moi le souffle chaud de la jeunesse. Le manuscrit est resté enfermé par trois clefs dans mon écritoire secrète, derrière l'alcôve de ma chambre ; il était scellé par cinq cachets de cire dans une grande enveloppe sur laquelle, avant de partir, j'avais écrit en gros caractères : " Je confie à l'honneur de mon mari le secret de ces papiers qu'il devra, après ma mort, brûler sans en rompre les cachets. " Je m'en allai tout à fait tranquille : j'étais sûre que le comte, même avec des soupçons, aurait religieusement accompli la volonté de sa femme.

Je viens d'avoir de ma camériste, à l'instant

même, une nouvelle qui me chagrine fort : le petit avocat Gino se marie.

Voilà la constance des hommes, voilà la fermeté des passions ! “ Comtesse Livia, je meurs, je me tue. Votre image ne disparaîtra de ma poitrine qu’avec la dernière goutte de sang. Piétinez-moi comme un esclave, mais permettez-moi de vous adorer comme une déesse. ” Phrases de mélodrame. Quelques mois, et tout disparaît. Amour, fureur, serments, larmes, sanglots, plus rien ! Dégoûtante nature humaine ! Et pourtant, à voir ces yeux noirs sur le visage livide, on aurait dit qu’y brillait parfois la profonde sincérité d’une âme passionnée. Ses lèvres balbutiaient, ses artères battaient, ses mains tremblaient, et son corps tout entier se traînait à mes pieds ! Ce petit avocat scrofuleux et misérable a bien mérité le coup de pied qu’il a reçu de moi. “ Manant ! ”

Et qui épouse-t-il ? Une petite sotte de dix-huit ans que ses parents n’ont pas voulu conduire chez moi parce que la comtesse Livia, savez-vous, est une femme trop galante. Une petite oie blanche qui a deux pommes jaunâtres à la place des joues, des mains courtes, grasses et rouges, des pieds de garçon d’écurie, et un petit air impertinent de sainte nitouche consolatrice. Et dire que l'homme qui épouse un tel pantin a osé m'aimer et me le dire ! Je sens mon visage en feu...

Mon officier d'il y a seize ans, s'il n'était pas un grand homme, était du moins un homme véritable. Dans l'étreinte il me serrait la taille à me broyer, et il me mordait les épaules jusqu'au sang.

De vagues rumeurs de guerre commençaient à se répandre, suivies des habituelles nouvelles contradictoires et des traditionnels démentis : on mobilise, on ne mobilise pas, oui, non. Pendant ce temps, un certain mouvement, à la fois fébrile et mystérieux, se propageait des militaires aux civils. Les trains commençaient à avoir du retard, à débarquer de nouveaux soldats, des chevaux, des charrettes et des canons, alors que les journaux ne manquaient pas de nier jusqu'à l'ombre d'un armement. Moi, sans me soucier de ce que je voyais, je croyais les journaux, tant l'idée d'une guerre m'épouvantait. Je craignais pour la vie de mon amant, mais je craignais plus encore la séparation longue, inévitable, qui s'ensuivrait. Remigio, en effet, le dernier jour de mars, reçut l'ordre de se rendre à Vérone. Il obtint, avant de partir, deux jours de permission que nous passâmes ensemble, sans nous quitter une minute, dans la misérable chambre d'une auberge sur le lac de Cavedine. Il me jurait qu'il reviendrait bientôt me voir, et moi je lui jurais d'aller à Vérone s'il ne pouvait en bouger. En lui donnant le dernier baiser, je mis dans sa poche une petite bourse de cinquante marengos.

Le comte revenant de la campagne me trouva, dix ou douze jours après le départ de Remigio, maigre et pâle. En vérité, je souffrais beaucoup. De temps en temps, j'avais des douleurs violentes à la tête et il me prenait des éblouissements, si bien que trois ou quatre fois, titubant, je dus m'appuyer contre un mur ou un meuble pour ne pas tomber. Les médecins que mon mari, empressé et inquiet, voulut consulter répétaient en courbant le dos : “ Ce sont les nerfs. ” Ils me recommandèrent de faire de l'exercice, de manger, de dormir et d'être joyeuse.

Nous étions à la mi-avril et désormais les

préparatifs se faisaient au grand jour. Des militaires de toutes sortes encombraient les routes, les bataillons marchaient au son des orchestres militaires et des tambours. Les aides de camp volaient sur leurs chevaux. Les vieux généraux, un peu voûtés sur leur selle, passaient au trot, suivis de leur état-major, plein d'assurance, brillant, caracolant. Ces préparatifs m'emplissaient de terreurs extravagantes. L'Italie allait passer les Autrichiens au fil de l'épée. Garibaldi, avec sa horde de démons rouges, égorgerait tous ceux qui tomberaient dans ses mains. On se représentait une hécatombe.

J'étais dans tous mes états : en six semaines, il ne m'était arrivé que quatre lettres de Vérone. On pouvait dire que la poste n'existait plus. Il fallait confier, en priant et en payant, les feuilles à quelqu'un qui, disposé à affronter les obstacles et les interminables retards du voyage, avait le besoin et le courage de se rendre d'un lieu à un autre. Moi, ne pouvant plus vivre dans les angoisses où me tenait le silence volontaire ou innocent de Remigio, j'avais résolu de tenter le voyage. Mais comment faire pour que mon mari n'en sût rien ? Comment faire, moi, une femme, seule, jeune et belle, exposée à la brutalité de soldats rendus plus audacieux encore par le relâchement de la discipline et par la pensée des dangers qu'ils allaient affronter ?

Un matin à l'aube, après une interminable nuit de tourments, je m'étais endormie lorsqu'un bruit m'éveille en sursaut. J'ouvre les yeux et je vois à côté de moi Remigio. Je croyais rêver.

L'aurore illuminait déjà ma chambre d'une lumière douce et rosée. Je bondis hors du lit pour tirer les rideaux de l'alcôve et nous commençâmes à parler à voix basse. J'étais inquiète : le comte, qui dormait deux chambres plus loin, pouvait entendre, pouvait venir ; les domestiques avaient peut-être vu mon amant entrer furtivement, à cette heure-là. Il me rassura par quelques paroles impatientes : il avait frappé comme les autres fois, à la fenêtre du bas où dormait ma caméριste ; elle, sans faire de bruit, lui avait ouvert la porte cochère, et il était entré sans que personne ne se doute de quoi que ce soit. Je me souciais peu de la caméριste, puisqu'elle savait déjà tout, mais le pire restait la sortie : il fallait se dépêcher. Je bondis de nouveau de mon lit et allai coller mon oreille à la porte de la chambre de mon mari : il ronflait.

— Tu t'arrêtes à Trente, n'est-ce pas ?

— Tu es folle.

— Quelques jours au moins ?

— C'est impossible.

— Juste un ?

— Je pars dans une heure.

Je fus atterrée ; mon cœur, une minute plus tôt plein d'espérances joyeuses, s'emplit de tristesse et de crainte.

— Et n'essaie pas de me retenir. En temps de guerre, on ne plaisante pas.

— Maudite guerre !

— Maudite, oui ! Elle va être terrible, à ce qu'il semble.

— Ecoute, ne pourrais-tu pas fuir, ne pourrais-tu pas te cacher ? Je t'aiderai. Je ne veux pas que ta vie soit mise en danger.

— Quelle enfant tu fais ! On me découvrirait, on me prendrait. Je serais fusillé comme déserteur.

— Fusillé !

— J'ai besoin de toi.

— Ma vie, tout.

— Non. Deux mille cinq cents florins.

— Mon Dieu ! Comment faire ?

— Veux-tu me sauver ?

— A tout prix.

— Ecoute donc. Avec deux mille cinq cents florins, les deux médecins de l'hôpital, les deux de la brigade me feront un certificat médical de maladie et viendront m'ausculter de temps en temps pour confirmer auprès du commandement une quelconque infirmité qui me rendrait tout à fait inapte au service. Je ne perds pas mon grade, je ne perds pas ma solde, j'évite tous les dangers et je reste tranquille à la maison, boitillant un peu, c'est vrai, à cause d'une sciatique maligne ou d'une lésion à l'os de la jambe, mais calme et bienheureux. Je trouverai un vague fonctionnaire avec lequel jouer aux cartes. Je boirai, mangerai, dormirai tout mon saoul. J'aurai l'ennui de rester le jour chez moi, mais la nuit, toujours en boitant un peu par prudence, je pourrai m'enfuir. Ça te plaît ?

— Cela me plairait si tu étais à Trente. J'irais chez toi tous les jours, deux fois par jour. D'ailleurs, s'ils te croient malade, être à Vérone ou à Trente, n'est-ce pas la même chose ?

— Non, les règlements veulent que les soldats malades restent au siège du commandement, sous la surveillance continuelle et consciencieuse des médecins. Mais, à peine la guerre finie, je reviendrai ici. La guerre sera rude mais courte.

— Tu m'aimeras toujours, tu me seras toujours fidèle, tu ne regarderas aucune autre femme ? Tu me le jures ?

— Oui, oui, je te le jure ; mais le temps presse et j'ai besoin de ces deux mille cinq cents florins.

— Tout de suite ?

— Bien sûr ; je dois les emporter avec moi.

— Mais je crois n'avoir qu'une cinquantaine de napoléons d'or dans mon secrétaire. J'ai toujours peu d'argent avec moi.

— Alors, trouve-les.

— Comment veux-tu que je les trouve ? Est-ce que je peux les demander à mon mari, à cette heure, comme cela, sous quel prétexte, pour les donner à qui ?

— On reconnaît l'amour aux sacrifices. Tu ne m'aimes pas.

— Je ne t'aime pas ? Moi qui te donnerais volontiers tout mon sang !

— Ce sont des mots. Si tu n'as pas l'argent, donne-moi les bijoux.

Je ne répondis point et me sentis pâlir. Se rendant compte de l'effet de ces dernières paroles, Remigio me serra dans ses bras de fer et, changeant de voix, répéta plusieurs fois :

— Tu sais que je t'aime infiniment, ma Livia, et que je t'aimerai jusqu'à mon dernier souffle ; mais cette vie, sauve-la, je t'en conjure, sauve-la pour toi, si tu m'aimes.

Il me prenait les mains et les couvrait de baisers.

J'étais déjà vaincue. J'allai au secrétaire prendre les trois petites clefs de l'écritoire : je craignais de faire du bruit, je marchais sur la pointe des pieds, bien que je fusse pieds nus. Remigio m'accompagna dans le cabinet derrière l'alcôve : je fermai la porte pour que le comte ne puisse entendre, et après avoir ouvert le coffret avec quelque difficulté, tant j'étais agitée, j'en sortis tout un assortiment de brillants en murmurant :

— Voilà, prends. Cela a coûté presque douze mille lires. Tu trouveras à les vendre ?

Remigio m'arracha des mains l'étui, regarda les bijoux et dit :

— Des usuriers, il y en a partout.

— Ce serait vraiment dommage de s'en défaire pour peu de chose. Essaie de trouver un moyen de les récupérer.

Mon cœur était en larmes. Le diadème particulièrement m'allait si bien.

— Et l'argent, tu me le donnes ? demanda Remigio. Il me rendra service.

Je cherchai dans le petit coffre les napoléons d'or que j'avais mis dans une bourse et, sans les compter, je les lui donnai. Il m'embrassa, et avec hâte il fit mine de sortir. Je le retins. Dans un mouvement d'impatience, il me repoussa en disant :

— Si tu tiens à ma vie, laisse-moi partir.

— Fais doucement, tu n'entends pas tes bottes grincer ? Et puis, attends, je veux voir si la cameriste est là. Il faut qu'elle vienne pour t'accompagner.

La cameriste, en effet, attendait dans la pièce voisine.

— Tu m'écriras bientôt ?

— Oui.

— Tous les deux jours ?

Je voulais donner un dernier baiser à mon amant que j'aimais tant : il avait déjà disparu.

J'ouvris la croisée et regardai dans la ruelle. Le soleil dorait les cimes élevées des montagnes. Devant la porte, le garçon d'écurie et le cuisinier étaient en train de discuter. Ils levèrent les yeux et ils me virent ; ils virent ensuite Remigio sortir du palais ; il marchait rapidement, les poches de l'uniforme gonflées.

Je revins dans mon lit et pleurai toute la journée : l'énergie de ma nature était brisée. Le médecin, le lendemain matin, me trouva brûlante, en proie à une forte fièvre ; il ordonna de la quinine que je ne pris point : j'aurais voulu mourir. Une semaine entière après la visite de Remigio, ma camériste me porta avec son calme habituel une lettre que j'arrachai avec rage de ses mains aussitôt après l'avoir vue : j'avais deviné, elle était de lui, la première depuis son départ, et je me mis à la lire avec une avidité si furieuse que je dus, arrivée au bout, la recommencer — je n'y avais rien compris. Je me la rappelle encore aujourd'hui, mot pour mot. Je l'ai lue si souvent, et les événements tragiques qui suivirent me la remirent si souvent en mémoire.

“ Livia adorée,

“ Tu m’as sauvé la vie. J’ai vendu l’écrin à un Salomon quelconque, pour peu de chose à dire vrai, mais, en ces jours d’incertitude et d’épouvante, on ne pouvait guère exiger plus, deux mille florins qui ont suffi à remplir la panse vorace des médecins. Avant de me faire porter malade, j’ai trouvé une belle chambre qui donne sur l’Adige, rue Santo-Stefano, au 147 (écris-moi à cette adresse), grande, propre, avec une antichambre rien que pour moi par laquelle on accède directement aux escaliers. J’ai fait des provisions de tabac, de rhum, de cartes à jouer et tous les volumes de Paul de Koch et d’Alexandre Dumas. Je ne manque pas d’agréable compagnie, rien que des hommes (rassure-toi), tous des escrocs, et si n’était que je doive paraître boiteux, et ne pas sortir de chez moi le jour, je me dirais l’homme le plus heureux du monde. Certes, il me manque quelque chose, toi, chère Livia que j’adore et que je voudrais avoir jour et nuit entre mes bras. Donc, ne te soucie de rien. Je lirai les nouvelles de la guerre en fumant, et plus il y aura d’Italiens et d’Autrichiens qui iront en enfer, mieux je me porterai. Aime-moi toujours comme je t’aime.

Dès que la guerre sera finie, et que ces chiens de docteurs qui me coûtent les yeux de la tête m'auront laissé en paix, je courrai te prendre dans mes bras, plus ardent que jamais. Ton Remigio. "

Je fus troublée et dégoûtée par cette lettre, tant elle me parut vulgaire. Mais ensuite, y revenant, je me persuadai peu à peu que le ton sur lequel elle était écrite était volontairement léger et gai, que mon amant avait fait un cruel mais très noble effort pour contenir l'élan de son cœur, aussi bien pour ne pas enflammer davantage ma passion qui était déjà un incendie que pour calmer un peu mon esprit qu'il savait terriblement anxieux. Je repris la lettre, phrase après phrase, syllabe après syllabe. J'avais brûlé toutes les autres presque aussitôt après les avoir reçues ; je cachai celle-ci dans une petite poche de mon porte-monnaie, pour la ressortir souvent quand je serais seule, après avoir fermé à clef les portes de ma chambre. Tout me confirmait dans ma croyance candide ; ces expressions de tendresse me parurent d'autant plus puissantes qu'elles étaient brèves, et les expressions grossières et cyniques se présentaient à mon esprit comme sublimes de généreux sacrifice. J'avais tellement besoin d'y croire que mon désir effréné trouvait une excuse dans celui de l'autre ; et son abjection gonflait ma poitrine d'enthousiasme dans la mesure où je croyais en être la cause. Mais mon esprit galopait et ne s'arrêtait pas là. “ Qui sait, pensais-je moi-même, qui sait si cette lettre n'est pas un mensonge magnanime ? Peut-être est-il déjà parti en campagne, peut-être est-il en face de l'ennemi ; mais plus soucieux de moi que de lui, ne voulant pas me faire mourir de tourments et d'angoisses, il m'endort avec de pieux mensonges. ” A peine cette pensée se fut-elle présentée à mon esprit que je fus sous son emprise. Les insomnies, le refus de manger, les troubles physiques concouraient à cette exaltation de mon esprit.

Je vivais déjà dans une quasi-solitude. Mon entourage s'était réduit peu à peu car les familles nobles de Trente, hostiles aux opinions politiques du comte, nous tenaient depuis longtemps — et avec quelle délicatesse —, lui et moi, à l'écart. Les jeunes, vibrant pour l'Italie, nous fuyaient sans égards et nous haïssaient. Les fonctionnaires, ne sachant comment la guerre finirait, pour ne pas risquer de se compromettre d'une façon ou d'une autre, s'abstenaient désormais de mettre les pieds chez nous. Nous ne voyions plus que quelques nobles austrophiles, ruinés et parasites, quelques hauts fonctionnaires tyroliens, durs, têtus, puant la bière et le mauvais tabac. Les militaires ne trouvaient plus le temps ni l'envie de s'occuper de moi. Ma liaison avec le lieutenant Remigio, connue de tout le monde sauf de mon mari, avait accru mon isolement, lequel du reste me plaisait dans l'état d'esprit où je me trouvais depuis quelque temps.

Remigio, après la fameuse lettre, ne m'avait plus écrit. Je rêvais à son sujet de dangers qui me paraissaient d'autant plus horribles qu'ils étaient indistincts. J'aurais peut-être pu supporter la certitude d'une bataille et ses risques ; mais ne pas savoir si mon amant était à la guerre ou non, c'était un doute qui me rendait folle. J'écrivis à Vérone à un général que je connaissais, à deux colonels, puis à quelques-uns de ces petits officiers qui m'avaient tellement courtisée à Venise : personne ne répondit. J'accablai Remigio de lettres : rien.

Pendant ce temps, les hostilités avaient

commencé : l'activité civile était suspendue. Le chemin de fer, les routes ne servaient à rien d'autre qu'au transport des munitions, aux ambulances, au ravitaillement, aux escadrons de cavalerie qui passaient dans un nuage de poussière, aux batteries qui faisaient trembler les maisons, aux régiments d'infanterie qui se déployaient interminablement, les uns après les autres, sinueux, glissant comme un ver qui aurait voulu embrasser dans ses énormes replis la terre tout entière.

Un matin, chaud et accablant, le 26 juin, arrivèrent les premières nouvelles d'une bataille horrible : l'Autriche était défaite, dix mille morts, vingt mille blessés, les drapeaux perdus, Vérone encore dans nos mains mais près de tomber, comme les autres forteresses, devant l'élan infernal des Italiens.

Mon mari était à la maison de campagne, et devait y rester une semaine. Je sonnai avec violence, ma camériste ne vint pas. Je recommençai, le domestique se présenta sur le pas de la porte.

— Vous dormez tous ? Maudits lâches ! Envoie-moi, tout de suite, le cocher, mais tout de suite, compris ?

Quelques minutes plus tard, Giacomo se présenta, affolé, boutonnant sa livrée.

— Combien de milles, d'ici à Vérone ?

Il réfléchit un instant.

— Alors ? repris-je, emportée par la colère.

Giacomo faisait ses comptes :

— D'ici à Rovereto, à peu près quatorze ; de Rovereto à Vérone, il doit y avoir... je ne sais pas, moi... avec deux bons chevaux, on met dix heures plus ou moins, sans compter les arrêts.

— Tu n'es jamais allé avec les chevaux de Trente à Vérone ?

— Non, Madame la Comtesse. Je suis allé de Rovereto à Vérone.

— C'est égal. D'ici à Rovereto, il faut deux heures, je le sais bien.

— Deux heures et demie, excusez-moi, Madame la Comtesse.

— Donc, deux heures et dix, ça fait douze en tout.

— Disons treize, Madame la Comtesse, et au trot.

— Combien de chevaux a emportés ton patron ?

— Sa jument noire habituelle.

— Il en reste donc quatre dans l'écurie.

— Oui, Madame la Patronne : Fanny, Candida, Lampo et l'étalon.

— Tu pourrais les atteler tous les quatre ?

— Ensemble ?

— Oui, ensemble.

Giacomo sourit avec un air de pitié indulgente.

— Excusez, Madame la Comtesse, ce n'est pas possible. L'étalon...

— Alors, attelle les autres.

— Lampo a une blessure. Le pauvre, il ne peut même pas se traîner au pas.

— Attelle donc Fanny et Candida, comme d'habitude, pour l'amour de Dieu, criai-je, frappant du pied.

Et j'ajoutai :

— Demain matin à quatre heures.

— A vos ordres, Madame la Comtesse ; et s'il vous plaît, pour calculer combien de foin emporter, où allons-nous ?

— A Vérone.

— A Vérone, miséricorde ! En combien de jours ?

— Du matin au soir.

— Excusez-moi, Madame la Comtesse, mais c'est impossible.

— Et moi, je le veux, tu as compris ? répliquai-je avec un accent si impérieux que le pauvre trouva juste le courage de balbutier :

— Ayez pitié de moi. Nous crèverons les deux juments et le patron me jettera à la rue.

— Je le prends sous ma responsabilité. Obéis et ne pense à rien d'autre.

Et je lui donnai quatre marengos.

— Je te donnerai le double lorsque nous serons de retour — mais à cette condition : que tu ne le dises à personne.

— Pas de danger pour cela. Mais les encombrements de la route, les voitures, les canons, les insolences des soldats, les tracasseries des gendarmes ?

— Je m'en charge.

Giacomo baissa la tête, résigné mais non convaincu.

— A quelle heure arriverons-nous à Vérone ?

— Quand le Ciel le voudra, Madame la Comtesse ; et ce sera un miracle si nous y arrivons vivants, vous, moi et les deux malheureuses bêtes. Pour moi, peu importe, mais vous et les bêtes !

— Bien, à quatre heures donc, et silence. Si tu te tais, tu auras ce que je t'ai promis ; si tu parles je te renvoie aussitôt et sans gages, compris ? Attention, tout le monde, et même la camériste, doit croire que nous allons à San Michele, chez la marquise Giulia.

Giacomo, devenu sombre, s'inclina et sortit de mon salon.

A l'aube, j'étais dans la voiture, et en route. J'avais fermé les rideaux de la portière et je regardais par un coin les fantassins hors d'haleine et poussiéreux qui, croyant qu'il y avait dans le coche quelque grand personnage, s'alignaient le long des fossés. Quelques-uns faisaient le salut militaire.

De temps à autre, à mon grand dépit, il fallait ralentir l'allure ou même s'arrêter quelques minutes pour attendre que des chars lourds et grinçants libèrent le passage ; parfois, les choses allaient beaucoup mieux que Giacomo ne l'avait prédit. Une patrouille de gendarmes à chevaux arrêta la voiture, mais le sergent, voyant qu'à l'intérieur il y avait une dame, se contenta de crier de façon chevaleresque : “ Bon voyage ! ” En dessous de Rovereto, à Pieve, on fit halte pour se rafraîchir un peu. A Borghetto ensuite, les juments détachées car elles n'en pouvaient plus, nous passâmes trois bonnes heures qui me parurent trois années. J'étais blottie dans la voiture, écoutant les gémissements et les jurons des soldats qui se laissaient tomber à terre par bandes entières, près de l'auberge, à l'ombre rare des arbres maigres, et qui mangeaient un morceau de pain, buvaient une gorgée d'eau. J'ai dû appeler dix fois Giacomo qui venait à la portière en maugréant, s'efforçant de prendre un air grave, et, ôtant son chapeau, me disait : “ Madame la Comtesse, encore dix minutes. ” Nous reprîmes la route quand Dieu le voulut bien. L'Adige que nous longions était presque à sec, les champs semblaient calcinés, la route brillait d'une blancheur éblouissante, pas la moindre tache dans le ciel bleu. Les parois de la voiture brûlaient, et dans cette chaleur étouffante, cette poussière dense, il me semblait suffoquer. Mon front était en sueur et je battais les pieds d'impatience. Je ne pris pas garde à l'Ecluse : j'écoutais les coups de fouet de Giacomo. A Pescatina, nous nous arrêtâmes encore pour nous rafraîchir ; les braves bêtes marchaient avec peine, et il fallait encore dix longs milles avant d'arriver à Vérone. Le soleil avait disparu dans un nuage de feu. Toujours des charrettes, des soldats, des rondes de gendarmes, de la poudre, parfois un tonnerre assourdissant, un bruit strident et aigu de ferraille, parfois un murmure confus et craintif, dans lequel on distinguait des plaintes, des imprécations, les couplets de quelque horrible chanson obscène chantés par des voix étranglées. Jusqu'alors nous étions descendus avec le flot des hommes et des véhicules, maintenant on rencontrait des ambulances, des compagnies de soldats à pied, blessés légers, le bras en écharpe, un bandage à la tête, le visage verdâtre, voûtés, boitant, en haillons. Et Remigio, Remigio ! Je criai à Giacomo de frapper les bêtes avec le manche du fouet. La nuit commençait à tomber. On arriva devant les murs de Vérone vers neuf heures. La peur panique et le désordre étaient tels que personne ne fit attention à la voiture et que l'on put arriver à l'hôtel de la Tour-de-Londres sans autre obstacle. Il n'y avait plus une chambre, plus un trou où pouvoir dormir, ni dans cet hôtel ni dans aucune autre auberge de la ville, à ce qu'on m'assura : tout était réquisitionné pour les officiers. Les chevaux, morts de fatigue, furent attachés dans la cour ; Giacomo devait veiller sur eux. Moi, finalement, je sautai à terre.

Je me fis accompagner à pied par un garnement à la rue Santo-Stefano, au 147.

Il me fallut monter et descendre plusieurs rues, regardant le haut des portes pour distinguer dans le halo des rares lanternes le numéro de la maison. Si Remigio était là, je voulais lui faire une surprise : tous mes membres tremblaient d'impatience et de désir. Mais il pouvait être au lit, se trouver avec quelqu'un et, bien que je voulusse à tout prix le voir au plus vite, il me sembla que je devais envoyer le gamin tout d'abord, en éclaireur. Il était malin et il comprit à merveille : il devait sonner, demander le lieutenant pour une affaire urgente, insister pour qu'on lui ouvre, monter, lui dire une histoire quelconque, par exemple qu'un monsieur, dont il avait oublié le nom et qui logeait à l'hôtel de la Tour-de-Londres, voulait avoir sans délai des nouvelles de sa santé. Le gamin en revenant devait laisser ouvertes la porte de l'appartement et celle de la rue. Je me cachai au pied de la maison dans une petite ruelle, entre la rue et le fleuve.

L’enfant sonna. On entendit une voix rageuse au dernier étage :

— Qui est-ce ?

— Le lieutenant Remigio Ruz est ici ?

— L’autre clochette, celle du milieu ; allez au diable !

Le garçon tira l’autre sonnette. Une minute passa qui me parut interminable. Personne ne vint. Il recommença ; du second étage alors, une voix de femme demanda :

— Qui est-ce ?

— Le lieutenant Remigio Ruz est ici ?

— Oui, mais il ne reçoit personne.

— J’ai besoin de lui parler.

— Demain, après neuf heures.

— Non, ce soir. Vous avez peur des voleurs ?

Une minute s’écoula et finalement la porte s’ouvrit.

Remigio était là ! La joie faisait éclater mon cœur. Ma vue s’obscurcit et ne pouvant plus tenir sur mes jambes, je m’appuyai contre la muraille. L’enfant revint peu après : on l’avait envoyé au diable mais il avait pu laisser les portes ouvertes. Les forces me revinrent. Je donnai quelques pièces au rusé gamin et, me traînant, j’entrai dans la maison. J’avais prévu que j'aurais besoin d'allumettes. Il y avait sur le palier du second étage deux portes, et sur l'une d'elles, épinglée, la carte de visite de Remigio. Je poussai la porte qui ne résista point et j'entrai sans faire de bruit dans une pièce presque noire. J'atteignais au plus haut de mes espérances, je sentais déjà les bras de mon amant, pour lequel j'aurais donné sans hésiter tout ce que j'avais et ma vie avec, m'écraser dans un seul élan contre sa large poitrine. Je sentais déjà ses dents déchirer ma peau, et je jouissais par avance d'un monde indicible de plaisirs furieux.

Le bonheur me suffoquait, je dus m'asseoir sur une chaise près de l'entrée. J'écoutais et je regardais comme si je baignais dans un rêve; j'avais perdu toute notion de la réalité. Mais quelqu'un, là, tout à côté, riait : c'était un rire de femme aigu, effronté, des éclats de rire qui peu à peu me réveillèrent. Je me mis à écouter, je me redressai et, retenant mon souffle, je m'approchai d'une porte qui donnait sur une vaste chambre tout illuminée. J'étais dans l'ombre, on ne pouvait me remarquer. Oh ! pourquoi Dieu à ce moment-là ne me rendit-il point aveugle ? Il y avait une table avec les restes d'un dîner, un large canapé vert sur lequel Remigio, étendu, s'amusait à chatouiller sous les bras une jeune fille qui gloussait, se rebellait, se démenait, se tortillait, essayant en vain de se libérer des mains de l'homme qui la couvrait de baisers sur les bras, dans le cou, sur la nuque, n'importe où.

Je ne pouvais plus bouger ; j'étais clouée sur place, les yeux fixes, les oreilles tendues, la gorge en feu.

L'homme se fatigua de la plaisanterie, prit par la taille la jeune fille et l'assit sur ses genoux. Ils commencèrent alors à parler, s'interrompant souvent pour des jeux et des caresses. J'entendais les mots, leur sens m'échappait. Soudain, la femme prononça mon nom.

— Montre-moi les portraits de la comtesse Livia.

— Tu les as vus si souvent.

— Montre-les-moi, je t'en prie.

Tout en restant allongé, il tendit le bras, souleva un pan de la nappe, ouvrit le tiroir de la table et en sortit des lettres. La jeune fille, devenue sérieuse, chercha parmi elles les portraits et les regarda longuement, puis :

— Elle est belle, la comtesse Livia ?

— Tu le vois.

— Ce n'est pas ça. Je veux savoir si elle est plus belle que moi.

— Aucune femme ne peut me paraître plus belle que toi.

— Regarde, sur cette photographie, la robe de bal laisse voir entièrement ses bras et ses épaules très décolletées.

Et la jeune fille arrangeait sa chemise, en comparant avec le portrait.

— Regarde. Est-ce que je te semble plus belle ?

Il l'embrassa entre les seins en s'exclamant :

— Mille fois plus belle.

La jeune fille, près de la lampe, fixant droit dans les yeux l'homme qui souriait, prit un à un les quatre portraits et, très lentement, déchira chacun d'eux en quatre morceaux. Elle laissait tomber ces morceaux sur la table au milieu des plats et des verres. Lui, il continuait à sourire.

— Mais toi, méchant, tu lui dis pourtant que tu l'aimes.

— Tu sais que je le lui dis le moins possible ; mais j'ai besoin d'elle, et nous ne serions pas ici, ensemble, ma chérie, si elle ne m'avait pas donné l'argent dont je t'ai parlé. Ces maudits médecins me l'ont fait payer salée, la vie.

— Combien t'est-il resté ?

— Cinq cents florins, dont une partie est déjà en fumée. Je dois écrire à Trente, à la caisse : chaque mot doux, un marengo.

— Pourtant, dit la femme, les yeux pleins de larmes, pourtant ça ne me plaît pas.

L'homme l'attira à lui, sur le canapé vert, en murmurant :

— Je ne veux pas de larmes.

A ce moment-là, mon cœur se révolta dans ma poitrine : je ne l'aimais plus, je l'exécrais. Je me retrouvai dans la rue. J'allais sans savoir où ; près de moi, dans l'obscurité, des groupes de soldats passaient en me bousculant, des brancards aussi d'où provenaient de longs gémissements ou des cris de douleur, et des citadins pressés, des paysans effrayés. Personne ne faisait attention à moi qui glissais le long des murs et qui étais vêtue de noir, un voile épais sur le visage. Je débouchai sur une large avenue plantée d'arbres sombres, où le fleuve qui coulait à ma droite rafraîchissait un peu l'air accablant. L'eau se perdait dans les ténèbres, mais à aucun moment, fût-ce un instant, il ne me vint l'idée de me suicider. En moi était déjà née, sans que je m'en sois même aperçue, une idée borgne, encore indéterminée, encore nébuleuse, qui s'emparait peu à peu de mon âme tout entière et de mon esprit, l'idée de la vengeance. J'avais tout offert à cet homme, j'avais vécu pour lui ; sans lui, j'avais cru mourir ; avec lui, j'étais montée au ciel ; et son cœur, ses baisers, il les donnait à une autre ! La scène à laquelle j'avais assisté repassait devant mes yeux ; j'avais encore devant moi toutes ces poses lascives. Infâmes ! Je cours à lui, surmontant tous les obstacles, au mépris de tous les dangers, jetant mon nom dans la boue ; je cours l'aider, je cours le réconforter ; et je le trouve en pleine santé, plus beau que jamais, et dans les bras d'une femme ! Et lui, qui me doit tout, et sa maîtresse piétinent ensemble ma dignité et mon affection, me raillent et me flétrissent ! Et c'est moi qui paie leurs orgies ! Et cette femme blonde se vante, nue, d'être plus belle que moi ! Et lui, lui (cette suprême honte m'était réservée) la proclame lui-même plus belle !

Tant d'émotions m'avaient brisée. La colère qui bouillait en moi m'avait répandu dans tout le corps une fièvre ardente qui me coupait les jambes. Je ne savais où j'étais : je ne voulais ni ne pouvais me faire accompagner par un passant jusqu'à l'hôtel pour m'enfermer de nouveau dans ma voiture. Je m'assis au bord du fleuve, fixant des yeux le ciel noir. Je ne trouvai pas de repos ; je revins dans les rues de la cité. Je devenais folle. Je tombais de fatigue. Il y avait dix-huit heures que je n'avais plus rien mangé. Je me retrouvai par hasard près d'un modeste café, et, après avoir plusieurs fois tourné devant la vitrine, comme il me semblait qu'il n'y avait personne, j'entrai et me mis dans le coin le plus reculé et le plus sombre, commandant quelque chose. Dans l'angle opposé, étendus sur l'étroite banquette rouge qui courait autour de la salle, vaste, basse, humide et à demi dans l'obscurité, il y avait deux soldats, fumant et bâillant.

Peu après, entrèrent deux autres officiers : un jeune homme qui pouvait avoir dix-neuf ans, long, mince, avec de petites moustaches fines, et un homme dans les quarante ans, trapu, lourd, la trogne violette pleine de crevasses et de boutons, des sourcils larges et noirs comme du charbon, et deux moustaches sous son gros nez, si touffues et hérissées qu'elles semblaient en soie de porc. Il avait à la bouche une pipe de bohème, courte de tuyau mais énorme de fourneau, d'où sortaient de gros nuages de fumée qui allaient l'un après l'autre noircir le plafond. Le jeune homme alla droit saluer les officiers dans l'angle. J'entendis qu'il disait : " J'en ai vu mourir quarante en deux heures dans la salle d'opération sous les bistouris des chirurgiens qui vous balançaient bras et jambes comme s'ils jouaient à la balle. Ils trépanaient et arrangeaient les têtes... "

— Il faudrait arranger celles de nos généraux, grogna le bohémien en ricanant.

Personne ne fit attention à moi.

Une jeune fille entra, seule. Elle avait l'air d'une modiste et vint s'asseoir à côté de l'officier maigre. Elle lui demanda :

— Tu m'en paies un, de café ?

Après quelques propos, auxquels je ne fis pas attention, l'un des deux militaires dit à la jeune fille sans bouger :

— Tu sais, Constanza, j'ai vu le lieutenant Remigio.

— Quand ? demanda la femme.

— Aujourd'hui. Je suis allé chez lui. Il était avec Giustina. Tu la connais, Giustina ?

— Oui, cette grosse blonde qui a trois fausses dents.

— Je ne m'en suis pas aperçu.

— Regarde-la bien. Et Remigio, comment va-t-il ?

— Une petite douleur à la jambe qui le fait un peu japper de temps en temps, et il boite un peu, c'est tout. Ça a vraiment été une maladie providentielle, celle-là ! Les autres risquent leur peau, ils s'épuisent dans les manœuvres, dans cette chaleur d'enfer, la faim, toutes les malédictions de cette guerre ; et lui, il mange, il boit, il est joyeux et il a quelqu'un qui l'entretient.

— Qui, crois-tu, lui paie cette superbe chambre ?

— Une dame.

— Une vieille baveuse.

— Non, chérie, une femme jeune, belle et, en plus, millionnaire, comtesse et amoureuse folle de lui.

— Et elle paie les beautés du lieutenant ?

— Elle lui donne de l'argent, et beaucoup.

— Pauvre folle !

— Remigio l'appelle sa Messaline. Il ne m'a pas dit son nom, mais il m'a confié qu'elle était de Trente et qu'elle s'appelle Livia. Il n'y a personne ici qui connaisse bien Trente ?

L'officier élancé dit :

— Je vais m'informer et, demain soir, je vous rapporterai tout, dans le détail, si nous sommes encore à Vérone. Comtesse Silvia, n'est-ce pas ?

— Comtesse Livia, Livia, souviens-t'en bien, cria l'officier qui était allongé.

— Mais alors, Remigio est vraiment malade ?

— Oh, pour cela, oui ! Tu comprends bien que, là, on ne peut pas soudoyer quatre médecins : un du régiment de Remigio, un choisi par le général dans un autre régiment, et deux de l'hôpital militaire. Ils vont le voir tous les trois jours ; ils palpent la jambe, la piquent, la tirent et le font crier. Une fois, il s'est évanoui. Maintenant, ça va mieux.

— Guerre finie, jambe guérie, insista Constanza.

— Ne le dis même pas pour plaisanter, observa le second officier étendu, qui jusque-là n'avait pas fait entendre le son de sa voix.

— Sais-tu que, sur le simple soupçon d'un mensonge, le lieutenant et les quatre médecins seraient fusillés dans les vingt-quatre heures, l'un comme déserteur du champ de bataille, les autres comme acolytes et complices ?

— Et ils l'auraient bien mérité, bon dieu ! rugit le bohémien sans ôter la pipe de sa bouche.

Le jeune officier ajouta :

— Le général Hauptmann n'attendrait même pas vingt-quatre heures.

A ces mots, l'idée qui était encore brumeuse dans ma tête devint lumineuse ; j'avais trouvé, j'avais décidé. “ Le général Hauptmann ! ” répétais-je en moi-même.

Les flammes qui me montaient à la tête m'obligèrent à m'enlever complètement le voile du visage ; je brûlais : j'appelai pour qu'on m'apportât de l'eau.

Les officiers s'aperçurent alors de ma présence et vinrent autour de moi. “ La belle femme ! Vous avez besoin de quelque chose ? Voulez-vous un verre de marsala ? Peut-on vous tenir compagnie ? Vous attendez quelqu'un ? Quels yeux ! Et quels baisers promis par ces lèvres ! ” L'officier maigre était venu se placer à côté de moi, sur la banquette : étant le plus jeune, il voulait se montrer le plus entreprenant. Je me défis de ses mains et je cherchai à me lever pour fuir, mais les deux autres me retenaient. Le bohémien sale fumait et regardait. Je me tournai vers lui et criai : “ Monsieur, je suis une dame ; aidez-moi, et accompagnez-moi chez moi, à la Tour-de-Londres. ” Le bohémien se fit un passage, donnant des coups à droite et à gauche, renversant le jeune officier ; puis, dur, sérieux, mettant la pipe dans sa poche, il m’offrit son bras.

Je sortis avec lui. Sur le chemin qui n’était guère long, il me dit quelques rares et respectueuses paroles. Je lui demandai qui était le général Hauptmann, où il avait son bureau, et d’autres renseignements qui m’importaient pour de bonnes raisons. J’appris que le général était le commandant suprême de la forteresse, et que le siège du commandement était au château San-Pietro.

La porte cochère de l’hôtel était encore grande ouverte bien qu’une heure du matin eût déjà sonné depuis un moment : il y avait un grand va-et-vient de soldats et de bourgeois. Je remerciai l’officier qui puait un maudit tabac et m’arrangeai au mieux sur les coussins de la voiture, placée dans un angle de la cour. Morte de fatigue comme je l'étais, je m'assoupis bien vite, mais je fus réveillée en sursaut par une main qui frappait à la portière. La voix rauque et vulgaire du bohémien répétait :

— C'est moi, madame la comtesse, moi qui voudrais vous dire, avec le respect qui vous est dû, un mot seulement.

Je baissai la vitre et l'officier me tendit quelque chose : c'était mon porte-monnaie, oublié sur la table du café alors que j'allais payer et qu'était survenu tout ce tapage. Ses trois compagnons l'avaient retrouvé et rapporté. Il me dit avec une gravité solennelle :

— Il n'y manque ni un papier ni un sou.

— Mais a-t-on lu les lettres ?

Et je pensais à celle de Remigio, la seule que j'avais gardée et que pour rien au monde je n'aurais voulu voir sortir de mes mains.

— Non, madame la comtesse. On a vu vos cartes de visite, et le portrait du lieutenant Remigio : rien d'autre, je vous en donne ma parole d'honneur.

Le lendemain matin, avant neuf heures, je me fis conduire dans ma voiture au commandement de la forteresse. La montée paraissait interminable : je criai à Giacomo de fouetter les chevaux. Une foule de militaires de toutes les couleurs, des blessés, des gens du peuple encombraient la grand-place devant le château. J'arrivai cependant sans obstacle à l'antichambre des Offices, où un vieil invalide prit ma carte de visite. Quelques minutes après, il revint en me disant que le général Hauptmann me priait de passer dans ses appartements privés et que, à peine aurait-il dépêché certaines affaires urgentes, il viendrait me présenter ses hommages.

On me conduisit à travers des loggias, des corridors et des terrasses à un salon qui dominait de ses trois larges fenêtres la ville entière. L'Adige, coupé par ses ponts, se tordait en forme de S, avec la première boucle au pied de la butte sur laquelle se dresse le château San-Pietro, et la seconde au pied d'un autre château, brun et crénelé. Entre les maisons surgissaient les pointes et les tours des basiliques anciennes. Dans un large espace, on voyait l'énorme ovale des arènes antiques. Le soleil matinal égayait les maisons et les collines ; d'un côté, il dorait les montagnes, de l'autre, il jetait une douce lumière sur la plaine immense et verte, parsemée de villages blancs, de maisons, d'églises et de campaniles.

Dans le salon entrèrent à grand fracas, riant et sautant, deux fillettes qui avaient un visage couleur de rose et des cheveux blonds comme les blés. Me voyant, leur premier mouvement fut de s'immobiliser mais, bien vite, elles s'enhardirent et s'approchèrent de moi. La plus grande me dit :

— Madame, veuillez vous asseoir. Voulez-vous que j'aille appeler ma mère ?

— Non, mon enfant, non. J'attends ton papa.

— Nous n'avons pas encore vu papa, ce matin. Il a tant à faire.

— Moi, je veux le voir, papa, cria la plus petite. Je l'aime tellement, mon papa.

Sur ce, le général entra, et les fillettes coururent au-devant de lui, s'entortillèrent autour de ses jambes, essayèrent de sauter sur ses épaules. Il en prenait une en l'air et lui donnait un baiser, puis prenait l'autre. Les deux petites folles riaient et dans les yeux du général apparurent deux larmes de tendresse béate. Il se tourna vers moi, en disant :

— Excusez-moi, madame ; si vous avez des petits enfants, vous me pardonnerez.

Il vint s'asseoir en face de moi et il ajouta :

— Je connais de nom monsieur le comte, et je serais heureux de pouvoir vous être utile en quelque chose, madame la comtesse.

Je fis un signe au général pour qu'il éloignât les fillettes, et il leur dit d'une voix pleine de tendresse :

— Allez, mes petites filles, allez ; nous avons à parler avec la dame.

Les fillettes firent un pas vers moi comme pour me donner un baiser ; je me détournai et elles s'en allèrent un peu mortifiées.

— Général, murmurai-je, je viens accomplir mon devoir de fidèle sujette.

— Madame la comtesse est allemande ?

— Non, je suis de Trente.

— Ah, bien ! s'exclama-t-il, me regardant avec un certain air de stupeur et d'impatience.

— Lisez.

Et je lui tendis d'un geste résolu la lettre de Remigio, celle que j'avais retrouvée dans la petite poche de mon porte-monnaie.

Le général, après l'avoir lue :

— Je ne comprends pas. La lettre vous est adressée ?

— Oui, général.

— Donc, l'homme qui écrit est votre amant.

Je ne répondis point. Le général prit dans sa poche un cigare et l'alluma. Il se leva et se mit à arpenter la pièce. Tout d'un coup, il se planta devant moi et, me fixant dans les yeux, dit :

— Bon, je suis pressé ; dépêchez-vous.

— La lettre est de Remigio Ruz, lieutenant du troisième régiment de grenadiers.

— Ensuite.

— La lettre est claire. Il s'est fait passer pour malade, en payant les quatre médecins.

Et j'ajoutai avec l'accent rapide de la haine :

— Il est déserteur du champ de bataille.

— J'ai compris. Le lieutenant était votre amant et il vous a laissé tomber. Vous vous vengez en le faisant fusiller, et en faisant fusiller avec lui les médecins. C'est cela ?

— Peu importent les médecins.

Le général resta un moment pensif, les sourcils froncés, puis il me tendit la lettre que je lui avais donnée.

— Madame, songez-y bien : la délation est une infamie et ce que vous faites, un assassinat.

— Monsieur le général, m'exclamai-je, relevant le visage et le regardant avec hauteur, faites votre devoir.

Le soir, vers neuf heures, un soldat porta à l'hôtel de la Tour-de-Londres, où finalement on m'avait trouvé une chambre, un billet ainsi rédigé :

“ Demain matin, à quatre heures et demie précises, seront fusillés dans la seconde cour du château San-Pietro, le lieutenant Remigio Ruz et le médecin de son régiment. Cette feuille vous permettra d'assister à l'exécution. Le soussigné vous demande pardon, Madame la Comtesse, de ne pouvoir vous offrir aussi le spectacle de l'exécution des autres médecins, qui, pour une raison qu'il n'est pas nécessaire d'exposer ici, seront envoyés devant un autre conseil de guerre.

Général Hauptmann ”

A trois heures et demie, dans la nuit noire, je sortis à pied de l'hôtel, accompagnée de Giacomo. Au bas de la montée du château San-Pietro, je lui ordonnai de me laisser et je commençai à monter toute seule la côte raide.

J'avais chaud, je suffoquais. Je ne voulais pas ôter le voile de mon visage, mais, ayant défait les premiers boutons, je rentrai les bords de l'échancrure de mon corsage. Ce peu d'air sur mon sein me faisait mieux respirer.

Les étoiles pâlissaient, il se répandait tout autour une aube jaunâtre. Je suivis des soldats qui, contournant le flanc du château, entrèrent dans une cour fermée par de hauts et sombres murs d'enceinte. Il y avait déjà deux détachements de grenadiers en rang et immobiles. Personne ne faisait attention à moi dans ce grouillement silencieux de militaires, dans ces demi-ténèbres. On entendait sonner les cloches en bas, dans la ville d'où montaient mille rumeurs confuses. Une porte basse du château grinça ; et deux hommes en sortirent, les mains liées derrière le dos : l'un maigre, brun, marchait devant l'autre, d'un pas ferme, le front haut ; l'autre, flanqué de deux soldats qui le soutenaient avec beaucoup d'efforts sous les bras, se traînait en sanglotant.

Je ne sais ce qui suivit. On lisait, je crois. Puis j'entendis un grand fracas, et je vis le jeune homme brun tomber, et au même instant je m'aperçus que Remigio était nu jusqu'à la ceinture, et ces bras, ces épaules, ce cou, tous ces membres que j'avais tant aimés, m'éblouirent. Dans mon esprit, revint l'image de mon amant quand, à Venise, dans la sirène, plein d'ardeur et de joie, il m'avait serrée pour la première fois dans ses bras d'acier. Un second fracas me secoua : sur le thorax encore palpitant et plus blanc que marbre, s'était élancée une femme blonde qu'éclaboussaient des jets de sang.

A la vue de cette femme abjecte revint en moi tout le mépris et, avec le mépris, la dignité et la force. J'avais conscience de mon bon droit. Je m'acheminai vers la sortie, tranquille, dans l'orgueil d'un difficile devoir accompli.

Sur le seuil de la prison, je sentis qu'on m'arrachait le voile qui me couvrait le visage. Je me retournai et je vis en face de moi le groin sale de l'officier bohémien. Il ôta de sa bouche le tuyau de sa pipe et, approchant sa moustache de mon visage, il me cracha sur la joue...

J'avais bien dit que le petit avocat Gino reviendrait ! Il a suffi d'une ligne : “ Venez, nous ferons la paix ”, pour qu'il se précipitât. Il a laissé tomber cette petite sotte d'épouse une semaine avant le jour du mariage. Il me dit de temps en temps, m'étreignant avec presque la vigueur du lieutenant Remigio : “ Livia, tu es un ange ! ”

Postface
de Christiane Baroche

Senso de Camillo Boito, ou le *négatif* de quelques passions…

La vie généralement se charge de mettre de l'eau dans le vin des absolus. Pour quelle raison s'abstiendrait-elle avec moi ? Pourtant, jusqu'à hier, grâce à une certaine volonté d'ignorance, je considérais Senso *comme un des absolus viscontiens, uniquement dicté par des nécessités intérieures. Aujourd'hui…*

Aujourd'hui, j'ai lu Senso, ou le Carnet secret de la comtesse Livia *dont Visconti a tiré son scénario, et il faut l'entendre dans le sens de " tirer à soi ", naturellement. Du coup, je ne peux plus désormais penser au film en le dissociant comme naguère de ses origines ; la nouvelle non plus n'est pas à lire hors de tout contexte, comme en son temps j'ai vu le film. D'ailleurs, nos habitudes* modernes *de lecture ne conduisent guère à ce genre d'appréhension neutre qu'on pouvait appliquer avant*

Barthes, avant le structuralisme. Même si l'ambition de l'écrivain, sempiternellement, est de résoudre ses problèmes d'individualité forcenée en dissimulant vaille que vaille le doux trafic des influences diverses, le lecteur (pardon, le Lecteur), lui, ne peut de nos jours manquer de situer l'écrit, de l'introduire, de le re/mettre en place *au sein d'une " comédie " presque toujours sociale et biographique à défaut d'être plus opportunément historique. Bien sûr, personne ne s'avise qu'on renoue ainsi, au moyen d'autres définitions des mêmes choses, avec la bonne vieille méthode sainte-beuvienne, mais passons...*

Il est une autre façon — décalée — d'aborder les textes. Je n'ai lu le Carnet secret de la comtesse Livia *que parce qu'il avait retenu l'attention de Luchino Visconti, parce que, à l'instant même où l'on me présentait la nouvelle, je me suis demandé (nous sommes tous pareils, tous des Asmodées en puissance...) quelle alchimie particulière avait joué dans des configurations d'espace, de temps, de nature rassemblées dans une seule main, celle du cinéaste ? J'ai eu envie de* savoir. *Car, en même temps, se faisait dans mon esprit un rapprochement traversier, lequel, en voyant le film, ne m'était pas apparu et, là, modifiait considérablement l'éclai-*

rage. Une histoire, mélo, devenait soudain le négatif *de deux autres, tragiques : cette femme jeune et belle qui s'éprend follement d'un homme* « *fatal* », *au demeurant cynique, goujat, pleutre, cette comtesse très assurée de son rang,* tombée *entre les bras d'un petit officier sans noblesse (dans tous les sens du terme), ennemi de surcroît, et qui se venge bassement de ses illusions perdues en mettant un gouverneur bon enfant dans l'obligation d'assumer un devoir qui lui répugne, n'est-ce pas* exactement *l'anti-Tosca ? C'est par là, j'en suis intimement persuadée, que la nouvelle de Boito a fasciné Visconti. Seulement, cette collusion en réalité n'est possible que par le jeu de ce qu'on appelle la culture, par la contamination* posthume *de récits non point inconciliables, mais chronologiquement déphasés. L'air du temps a fait coexister, sans autoriser peut-être qu'ils se connaissent, un Camillo Boito, architecte et restaurateur de ruines, saisi en 1883 par un daïmon d'écriture inattendu, un Victorien Sardou, vieux routier du boulevard qui fit jouer au théâtre Saint-Martin une* Tosca *(1887) bientôt adaptée en Italie par Gicosa pour un Puccini enthousiaste (1900) et, enfin, un Henry James qui, en 1900, publiait une longue nouvelle,* The Two Faces (Portrait de femme, *Lettres nouvelles 1977), dont l'argument central est au vrai la seconde* chute *de l'histoire de Livia.*

Si a posteriori *cette lecture (centenaire) me/nous captive, c'est parce qu'elle opère des rapprochements trompeurs. Pour nous, avant toutes vérifications, Boito a subi l'influence de Puccini et du Proust anglais. Or, la matérialité des dates soudain illumine ; s'il y a eu pillage, il n'est pas là où on le supposait.*

Evidemment, autant que je me rappelle — et se souvient-on avec exactitude après trente ans de décantation ? —, Visconti a fait déraper Senso *du passionnel strict à l'émergence de l'histoire italienne telle qu'il la concevait, et telle, d'ailleurs, qu'il la retrouvera dans* le Guépard. *Si la Livia de Boito est une Vénitienne indifférente au Risorgimento, nantie d'un époux " collaborateur ", celle de Visconti est plus nuancée : son époux peut bien être installé dans ses opinions opportunistes, elle* chute *de plus haut, ses sympathies étant au départ proitaliennes. En outre, si la Livia de Boito se laisse circonvenir (au cours d'une " scène " de bain proprement hollywoodienne avant la lettre et dont Luchino, dieu merci, n'usera pas !) sans efforts car elle a déjà parcouru toute seule la moitié du chemin vers les passions de basses qualités, la comtesse de*

Visconti " tombe " amoureuse de son Remigio (au passage, quel symbole! pour nous, Français : Remigio, phonétiquement, nous pousse vers rémige, emblème approprié du volage, et, pour peu qu'on aime jouer avec l'étymologie, vers Res imago, *visage de chose, vers* Rex imago, *visage de roi, mais il est des royautés de trottoir...), par une espèce de fatalité qu'accentuent les traits d'Alida Valli, d'une arrogance un peu brisée, meurtrie en tout cas. Le comte arbore à ses côtés le masque pénible des êtres qui ne voient plus en la jeunesse des femmes que son effet possible sur leurs impuissances multiples. C'est par ces meurtrissures que s'engouffrera la " séduction " du sexe dont, on le sent, Livia n'a connu jusqu'alors que la* cochonnerie.

De son côté, la beauté fissurée de Farley Granger agit fortement, avec, au cœur de la fascination qu'elle exerce, cette pointe révulsive qu'on reconnaît aux fumets des viandes faisandées et qu'on dépasse, *l'assiette devant soi.*

Ces deux êtres complémentaires — Visconti oblige, me semble-t-il, à les voir tels que je les décris — ne sont pas du tout dans Boito. A la limite, Visconti les entraîne, de force et dans un mouvement quasi romantique, vers une identification plus apitoyante que répulsive. Ils finiront mal, et pas seulement sous la seule pression des événements ; ils sont en fait marqués *pour le couteau.*

Ce n'est certes pas l'impression que laissent les deux amants de Camillo Boito. Avec une crudité étonnante, ils sont prézoliens, enfoncés dans leur bassesse avec d'autant plus d'évidence qu'ils ont des repoussoirs, tout aussi archétypiques. En accord avec l'image brutale qu'ils fournissent d'eux-mêmes, ils lèvent le cœur, oblitèrent la mémoire.

Or, on se rappelle étonnamment — j'en suis témoin — les visages avides et douloureux, la hâte à la fois juvénile et très dégénérée, la peur hagarde des deux êtres viscontiens qui arrachent à l'Histoire une *histoire, la leur, misérable et sublime parce que éternelle. On devine tout. Après ce* coup d'éclat, *Livia-Alida ne pourra que se survivre (au vrai, après ce film, Valli n'est-elle pas tombée dans l'oubli ?). Livia dans la réalité boitienne, Livia " cet ange ", persiste et signe. Boito lui fait dégotter une situation nouvelle qu'elle basculera en sa faveur une dernière fois. C'est une garce ; vieillissante, le sort de toutes la rattrapera, bien sûr ; elle reste une garce. La Livia de Visconti au visage ravagé est morte derrière les restes de sa beauté et le sait ; toute la différence est là. Elle peut se conduire* comme *une garce, elle, en fait, n'est qu'une paumée. Et le film à bon droit s'arrête au bord de ce futur sans avenir que seront les autres vies de la comtesse Livia.*

Se glisse alors la seconde face de cette histoire, la récupération jamésienne. Plus j'avance, plus la certitude me vient que James, amateur d'opéra, a dû *connaître les " histoires vaines " de Camillo Boito, frère d'Arrego Boito, librettiste notoire à l'époque,* arrangeur *des figures shakespeariennes. A ce compte, Livia est également une Lady Macbeth sans le remords, mais cela nous entraînerait si loin...*

Livia, aux franges de la quarantaine, se dit " importunée " par un jeune avocat, et cette cour haletante et transie ramène en sa mémoire, par si je puis dire antinomie, la conquête à l'arraché que lui fit somptueusement subir Remigio Ruz ; dans un premier temps, elle va renvoyer le jeune homme à ses affaires, tout entière reprise par sa première passion. Mais, à vouloir vivre à nouveau les beaux instants, on retombe forcément sur les mauvais, sur l'humiliation. Elle fait foin naturellement des effets de sa vengeance, ne s'arrêtant qu'à cette vision insupportable de sa beauté déchirée en effigie par les mains de sa rivale, de sa dignité volant en éclats sous le mépris du gouverneur et de l'officier bohémien. Après cela, l'avocat peut bien affirmer que c'est d'une madone sublime qu'il est amoureux, Livia sait, et je crois s'en glorifie, n'être qu'un ange déchu.

Rien ne dure ; le petit avocat rembarré se tourne vers une autre moins imprenable, précipitant ainsi Livia dans les abîmes d'une seconde déchéance : elle s'arrange pour le reprendre, le détourner de sa jeune fiancée, l'introduire auprès de sa beauté déclinante comme un tuteur secret. Et James saisit ici son héroïne personnelle, démontant l'édifice des traits archangéliques pour laisser paraître la " seconde face " à l'abri de la face qui ment. Bien sûr, Baudelaire aussi est là, tous les romantiques s'accrochent au filigrane d'une histoire devenue si rebattue, désormais. Et la dénonciation sociale : la nouvelle se déploie, montre la trame ; autour des hommes de ce dernier quart de siècle, les femmes n'eurent de ressources que la lutte larvée, insidieuse, méchante. C'est donc l'air du temps qui court en profil perdu, toute une rivière souterraine d'intentions malintentionnées, révélatrices en définitive de l'hypocrisie des nouvelles classes dirigeantes. On noie comme on peut les dernières convulsions d'une époque révolutionnaire en train de mourir.

Car le Risorgimento, malgré ses premières victoires, s'engloutira dans le fascisme de Mussolini, et les rares tentatives féminines et féministes d'accéder à l'autonomie s'éteindront dans le puritanisme d'une société, victorienne bien au-delà des limites insulaires. Grand meurtrier de toutes les passions, le puritanisme, et grand protecteur de l'économie bourgeoise ; il aidera à la génération spontanée de toute une kyrielle de " pères ", ceux qui envoyèrent leurs fils en Argonne pour ne pas avoir à " partager " le mince pouvoir qui demeurait des monarchies décapitées par 1848 et 1870.

Et puis les carnets secrets un jour cessent de l'être et, dans la main des " créateurs " (qui ne se vantèrent pas de les avoir consultés), on voit soudain bouger ce qui déjà, sous l'œil de Boito, animait les marionnettes humaines, la vieille trilogie de l'argent, du pouvoir et du sexe.

C'est avec les très vieilles recettes qu'on invente *le mieux...*

Christiane Baroche

IMPRIMERIE BUSSIÈRE À SAINT-AMAND (CHER)
DÉPÔT LÉGAL : MARS 1985. Nº 8686 (3097)

Collection Points

SÉRIE ROMAN

R1. Le Tambour, *par Günter Grass*
R2. Le Dernier des Justes, *par André Schwarz-Bart*
R3. Le Guépard, *par Giuseppe Tomasi di Lampedusa*
R4. La Côte sauvage, *par Jean-René Huguenin*
R5. Acid Test, *par Tom Wolfe*
R6. Je vivrai l'amour des autres, *par Jean Cayrol*
R7. Les Cahiers de Malte Laurids Brigge
par Rainer Maria Rilke
R8. Moha le fou, Moha le sage, *par Tahar Ben Jelloun*
R9. L'Horloger du Cherche-Midi, *par Luc Estang*
R10. Le Baron perché, *par Italo Calvino*
R11. Les Bienheureux de La Désolation, *par Hervé Bazin*
R12. Salut Galarneau !, *par Jacques Godbout*
R13. Cela s'appelle l'aurore, *par Emmanuel Roblès*
R14. Les Désarrois de l'élève Törless, *par Robert Musil*
R15. Pluie et Vent sur Télumée Miracle
par Simone Schwarz-Bart
R16. La Traque, *par Herbert Lieberman*
R17. L'Imprécateur, *par René-Victor Pilhes*
R18. Cent Ans de solitude, *par Gabriel Garcia Marquez*
R19. Moi d'abord, *par Katherine Pancol*
R20. Un jour, *par Maurice Genevoix*
R21. Un pas d'homme, *par Marie Susini*
R22. La Grimace, *par Heinrich Böll*
R23. L'Age du tendre, *par Marie Chaix*
R24. Une tempête, *par Aimé Césaire*
R25. Moustiques, *par William Faulkner*
R26. La Fantaisie du voyageur, *par François-Régis Bastide*
R27. Le Turbot, *par Günter Grass*
R28. Le Parc, *par Philippe Sollers*
R29. Ti Jean L'horizon, *par Simone Schwarz-Bart*
R30. Affaires étrangères, *par Jean-Marc Roberts*
R31. Nedjma, *par Kateb Yacine*
R32. Le Vertige, *par Evguénia Guinzbourg*
R33. La Motte rouge, *par Maurice Genevoix*
R34. Les Buddenbrook, *par Thomas Mann*
R35. Grand Reportage, *par Michèle Manceaux*
R36. Isaac le mystérieux (Le ver et le solitaire)
par Jerome Charyn
R37. Le Passage, *par Jean Reverzy*

R38. Chesapeake, *par James A. Michener*
R39. Le Testament d'un poète juif assassiné, *par Elie Wiesel*
R40. Candido, *par Leonardo Sciascia*
R41. Le Voyage à Paimpol, *par Dorothée Letessier*
R42. L'Honneur perdu de Katharina Blum, *par Heinrich Böll*
R43. Le Pays sous l'écorce, *par Jacques Lacarrière*
R44. Le Monde selon Garp, *par John Irving*
R45. Les Trois Jours du cavalier, *par Nicole Ciravégna*
R46. Nécropolis, *par Herbert Lieberman*
R47. Fort Saganne, *par Louis Gardel*
R48. La Ligne 12, *par Raymond Jean*
R49. Les Années de chien, *par Günter Grass*
R50. La Réclusion solitaire, *par Tahar Ben Jelloun*
R51. Senilità, *par Italo Svevo*
R52. Trente mille jours, *par Maurice Genevoix*
R53. Cabinet portrait, *par Jean-Luc Benoziglio*
R54. Saison violente, *par Emmanuel Roblès*
R55. Une comédie française, *par Erik Orsenna*
R56. Le Pain nu, *par Mohamed Choukri*
R57. Sarah et le Lieutenant français, *par John Fowles*
R58. Le Dernier Viking, *par Patrick Grainville*
R59. La Mort de la phalène, *par Virginia Woolf*
R60. L'Homme sans qualités, tome 1, *par Robert Musil*
R61. L'Homme sans qualités, tome 2, *par Robert Musil*
R62. L'Enfant de la mer de Chine, *par Didier Decoin*
R63. Le Professeur et la Sirène
par Giuseppe Tomasi di Lampedusa
R64. Le Grand Hiver, *par Ismaïl Kadaré*
R65. Le Cœur du voyage, *par Pierre Moustiers*
R66. Le Tunnel, *par Ernesto Sabato*
R67. Kamouraska, *par Anne Hébert*
R68. Machenka, *par Vladimir Nabokov*
R69. Le Fils du pauvre, *par Mouloud Feraoun*
R70. Cités à la dérive, *par Stratis Tsirkas*
R71. Place des Angoisses, *par Jean Reverzy*
R72. Le Dernier Chasseur, *par Charles Fox*
R73. Pourquoi pas Venise, *par Michèle Manceaux*
R74. Portrait de groupe avec dame, *par Heinrich Böll*
R75. Lunes de fiel, *par Pascal Bruckner*
R76. Le Canard de bois (Les Fils de la Liberté, I)
par Louis Caron
R77. Jubilee, *par Margaret Walker*
R78. Le Médecin de Cordoue, *par Herbert Le Porrier*
R79. Givre et Sang, *par John Cowper Powys*
R80. La Barbare, *par Katherine Pancol*
R81. Si par une nuit d'hiver un voyageur, *par Italo Calvino*

R82. Gerardo Laïn, *par Michel del Castillo*
R83. Un amour infini, *par Scott Spencer*
R84. Une enquête au pays, *par Driss Chraïbi*
R85. Le Diable sans porte (*tome 1 :* Ah, mes aïeux !) *par Claude Duneton*
R86. La Prière de l'absent, *par Tahar Ben Jelloun*
R87. Venise en hiver, *par Emmanuel Roblès*
R88. La Nuit du Décret, *par Michel del Castillo*
R89. Alejandra, *par Ernesto Sabato*
R90. Plein Soleil, *par Marie Susini*
R91. Les Enfants de fortune, *par Jean-Marc Roberts*
R92. Protection encombrante, *par Heinrich Böll*
R93. Lettre d'excuse, *par Raphaële Billetdoux*
R94. Le Voyage indiscret, *par Katherine Mansfield*
R95. La Noire, *par Jean Cayrol*
R96. L'Obsédé (L'Amateur), *par John Fowles*
R97. Siloé, *par Paul Gadenne*
R98. Portrait de l'artiste en jeune chien *par Dylan Thomas*
R99. L'Autre, *par Julien Green*
R100. Histoires pragoises, *par Rainer Maria Rilke*
R101. Bélibaste, *par Henri Gougaud*
R102. Le Ciel de la Kolyma (Le Vertige, II) *par Evguénia Guinzbourg*
R103. La Mulâtresse Solitude, *par Simone Schwarz-Bart*
R104. L'Homme du Nil, *par Stratis Tsirkas*
R105. La Rhubarbe, *par René-Victor Pilhes*
R106. Gibier de potence, *par Kurt Vonnegut*
R107. Memory Lane, *par Patrick Modiano* *dessins de Pierre Le Tan*
R108. L'Affreux Pastis de la rue des Merles *par Carlo Emilio Gadda*
R109. La Fontaine obscure, *par Raymond Jean*
R110. L'Hôtel New Hampshire, *par John Irving*
R112. Cœur de lièvre, *par John Updike*
R113. Le Temps d'un royaume, *par Rose Vincent*
R114. Poisson-chat, *par Jerome Charyn*
R115. Abraham de Brooklyn, *par Didier Decoin*
R116. Trois Femmes, *suivi de* Noces, *par Robert Musil*
R117. Les Enfants du sabbat, *par Anne Hébert*
R118. La Palmeraie, *par François-Régis Bastide*
R119. Maria Republica, *par Agustin Gomez-Arcos*
R120. La Joie, *par Georges Bernanos*
R121. Incognito, *par Petru Dumitriu*
R122. Les Forteresses noires, *par Patrick Grainville*
R123. L'Ange des ténèbres, *par Ernesto Sabato*

R124. La Fiera, *par Marie Susini*
R125. La Marche de Radetzky, *par Joseph Roth*
R126. Le vent souffle où il veut
par Paul-André Lesort
R127. Si j'étais vous..., *par Julien Green*
R128. Le Mendiant de Jérusalem, *par Elie Wiesel*
R129. Mortelle, *par Christopher Frank*
R130. La France m'épuise, *par Jean-Louis Curtis*
R131. Le Chevalier inexistant, *par Italo Calvino*
R132. Dialogues des Carmélites, *par Georges Bernanos*
R133. L'Étrusque, *par Mika Waltari*
R134. La Rencontre des hommes, *par Benigno Cacérès*
R135. Le Petit Monde de Don Camillo, *par Giovanni Guareschi*
R136. Le Masque de Dimitrios, *par Eric Ambler*
R137. L'Ami de Vincent, *par Jean-Marc Roberts*
R138. Un homme au singulier, *par Christopher Isherwood*
R139. La Maison du désir, *par France Huser*
R140. Moi et ma cheminée, *par Herman Melville*
R141. Les Fous de Bassan, *par Anne Hébert*
R142. Les Stigmates, *par Luc Estang*
R143. Le Chat et la Souris, *par Günter Grass*
R144. Loïca, *par Dorothée Letessier*
R145. Paradiso, *par José Lezama Lima*
R146. Passage de Milan, *par Michel Butor*
R147. Anonymus, *par Michèle Manceaux*
R148. La Femme du dimanche
par Carlo Fruttero et Franco Lucentini
R149. L'Amour monstre, *par Louis Pauwels*
R150. L'Arbre à soleils, *par Henri Gougaud*
R151. Traité du zen et de l'entretien des motocyclettes
par Robert M. Pirsig
R152. L'Enfant du cinquième Nord, *par Pierre Billon*
R153. N'envoyez plus de roses, *par Eric Ambler*
R154. Les Trois Vies de Babe Ozouf, *par Didier Decoin*
R155. Le Vert Paradis, *par André Brincourt*
R156. Varouna, *par Julien Green*
R157. L'Incendie de Los Angeles, *par Nathanaël West*
R158. Les Belles de Tunis, *par Nine Moati*
R159. Vertes Demeures, *par William-Henry Hudson*
R160. Les Grandes Vacances, *par Francis Ambrière*
R161. Ceux de 14, *par Maurice Genevoix*
R162. Les Villes invisibles, *par Italo Calvino*
R163. L'Agent secret, *par Graham Greene*
R164. La Lézarde, *par Edouard Glissant*
R165. Le Grand Escroc, *par Herman Melville*
R166. Lettre à un ami perdu, *par Patrick Besson*

R167. Evaristo Carriego, *par Jorge Luis Borges*
R168. La Guitare, *par Michel del Castillo*
R169. Épitaphe pour un espion, *par Eric Ambler*
R170. Fin de saison au Palazzo Pedrotti, *par Frédéric Vitoux*
R171. Jeunes Années. Autobiographie 1, *par Julien Green*
R172. Jeunes Années. Autobiographie 2, *par Julien Green*
R173. Les Égarés, *par Frédérick Tristan*
R174. Une affaire de famille, *par Christian Giudicelli*
R175. Le Testament amoureux, *par Rezvani*
R176. C'était cela notre amour, *par Marie Susini*
R177. Souvenirs du triangle d'or, *par Alain Robbe-Grillet*
R178. Les Lauriers du lac de Constance, *par Marie Chaix*
R179. Plan B, *par Chester Himes*
R180. Le Sommeil agité, *par Jean-Marc Roberts*
R181. Roman Roi, *par Renaud Camus*
R182. Vingt Ans et des poussières
par Didier van Cauwelaert
R183. Le Château des destins croisés
par Italo Calvino
R184. Le Vent de la nuit, *par Michel del Castillo*
R185. Une curieuse solitude, *par Philippe Sollers*
R186. Les Trafiquants d'armes, *par Eric Ambler*
R187. Un printemps froid, *par Danièle Sallenave*
R188. Mickey l'Ange, *par Geneviève Dormann*
R189. Histoire de la mer, *par Jean Cayrol*
R190. Senso, *par Camillo Boito*
R191. Sous le soleil de Satan, *par Georges Bernanos*
R192. Niembsch ou l'immobilité, *par Peter Härtling*
R193. Prends garde à la douceur des choses
par Raphaële Billetdoux

SÉRIE POINT-VIRGULE

V1. Manuel de savoir-vivre à l'usage des rustres et des malpolis
par Pierre Desproges
V2. Petit Fictionnaire illustré
par Alain Finkielkraut
V3. Quand j'avais cinq ans, je m'ai tué
par Howard Buten
V4. Lettres à sa fille (1877-1902)
par Calamity Jane
V5. Café Panique, *par Roland Topor*
V6. Le Jardin de ciment, *par Ian McEwan*
V7. L'Age-déraison, *par Daniel Rondeau*
V8. Juliette a-t-elle un grand Cui ?
par Hélène Ray
V9. T'es pas mort ! *par Antonio Skarmeta*
V10. Petite Fille rouge avec un couteau
par Myrielle Marc
V11. Manuel à l'usage des enfants qui ont des parents difficiles
par Jeanne Van den Brouck
V12. Le A nouveau est arrivé
par Pierre Ziegelmeyer et Jean-Benoît Thirion
V13. Comment faire l'enfant (17 leçons pour ne pas grandir)
par Delia Ephron
V14. Zig-Zag, *par Alain Cahen*
V15. Plumards, de cheval, *par Groucho Marx*
V16. Bleu, je veux, *par Gisèle Bienne*
V17. Moi et les Autres, *par Albert Jacquard*
V18. Au vrai chic anatomique, *par Frédéric Pagès*
V19. Le Petit Pater illustré, *par Jacques Pater*
V20. Cherche souris pour garder chat, *par Hélène Ray*
V21. Un enfant dans la guerre, *par Saïd Ferdi*
V22. La Danse du coucou, *par Aidan Chambers*
V23. Mémoires d'un amant lamentable
par Groucho Marx
V24. Le Cœur sous le rouleau compresseur
par Howard Buten
V25. Le Cinéma américain, *par Olivier-René Veillon*
V26. Voilà un baiser, *par Anne Perry-Bouquet*
V27. Le Cycliste de San Cristobal, *par Antonio Skarmeta*
V28. Tchao l'enfance, craignos l'amour
par Delia Ephron
V29. Mémoires capitales, *par Groucho Marx*
V30. Dieu, Shakespeare et Moi, *par Woody Allen*

V31. Dictionnaire superflu à l'usage de l'élite et des bien nantis
par Pierre Desproges
V32. Je t'aime, je te tue, *par Morgan Sportes*
V33. Rock-Vinyl (Pour une discothèque de rock)
par Jean-Marie Leduc
V34. Le Manuel du petit masochiste
par Dan Greenburg

SÉRIE BIOGRAPHIE

B1. George Sand ou le scandale de la liberté
par Joseph Barry
B2. Mirabeau, *par Guy Chaussinand-Nogaret*
B3. George Orwell, une vie, *par Bernard Crick*
B4. Colette, libre et entravée, *par Michèle Sarde*
B5. Raymond Chandler, le gentleman de Californie
par Frank MacShane
B6. Lewis Carroll, une vie, *par Jean Gattégno*
B7. Van Gogh ou l'enterrement dans les blés
par Viviane Forrester
B8. Frère François, *par Julien Green*
B9. Blaise Cendrars, *par Miriam Cendrars*
B10. Albert Camus, *par Herbert R. Lottman*

SÉRIE FILMS

dirigée par Jacques Charrière

F1. Octobre, *S. M. Eisenstein*
F2. La Grande Illusion, *Jean Renoir* (épuisé)
F3. Le Procès, *Orson Welles*
F4. Le Journal d'une femme de chambre, *Luis Buñuel*
F5. Deux ou trois choses que je sais d'elle, *Jean-Luc Godard*
F6. Jules et Jim, *François Truffaut*
F7. Le Silence, *Ingmar Bergman*

SÉRIE MUSIQUE

dirigée par François-Régis Bastide

Mu1. Histoire de la danse en Occident, *par Paul Bourcier*
Mu2. L'Opéra, t. I, *par François-René Tranchefort*
Mu3. L'Opéra, t. II, *par François-René Tranchefort*
Mu4. Les Instruments de musique, t. I
par François-René Tranchefort
Mu5. Les Instruments de musique, t. II
par François-René Tranchefort